A QUIETUDE É A CHAVE

A QUIETUDE É A CHAVE

RYAN HOLIDAY

Tradução de Maria Luiza X. de A. Borges

Copyright © 2019 by Ryan Holiday
Todos os direitos reservados, inclusive o direito de reprodução total ou parcial em qualquer meio.

TÍTULO ORIGINAL
Stillness is the Key

PREPARAÇÃO
Luisa Suassuna

REVISÃO
Luiz Felipe Fonseca
Marina Góes

DIAGRAMAÇÃO E ADAPTAÇÃO DE CAPA
Julio Moreira | Equatorium Design

DESIGN DE CAPA
Karl Spurzem

IMAGEM DE CAPA
Hein Nouwens / iStock / Getty Image Plus

CIP-BRASIL. CATALOGAÇÃO NA PUBLICAÇÃO
SINDICATO NACIONAL DOS EDITORES DE LIVROS, RJ

H677q

Holiday, Ryan, 1987-
  A quietude é a chave / Ryan Holiday ; tradução Maria Luiza Borges. - 1. ed. -
Rio de Janeiro : Intrínseca, 2019.
288 p. ; 21 cm.

Tradução de: Stillness is the key
ISBN 978-85-510-0576-7

1. Motivação (Psicologia). 2. Autoconsciência. 3. Quietude. 4. Paz de espírito. I. Borges, Maria Luiza. II. Título.

19-59777	CDD: 158.1
	CDU: 159.923.2

Vanessa Mafra Xavier Salgado - Bibliotecária - CRB-7/6644

[2019]

Todos os direitos desta edição reservados à
EDITORA INTRÍNSECA LTDA.
Av. das Américas, 500, bloco 12, sala 303
22640-904 – Barra da Tijuca
Rio de Janeiro – RJ
Tel./Fax: (21) 3206-7400
www.intrinseca.com.br

A luta é grande; a tarefa, divina — ganhar o conhecimento, a liberdade, a felicidade e a tranquilidade.

— Epiteto

SUMÁRIO

Prefácio — 9
Introdução — 15

PARTE I: MENTE

O domínio da mente — 27
Torne-se presente — 39
Limite seus estímulos — 46
Esvazie a mente — 53
Desacelere, pense profundamente — 61
Mantenha um diário — 68
Cultive o silêncio — 74
Busque a sabedoria — 79
Encontre confiança, evite o ego — 84
Solte — 91
Passemos à próxima etapa — 96

PARTE II: ESPÍRITO

O domínio da alma — 103
Escolha a virtude — 116
Cure a criança interior — 123

Cuidado com o desejo	130
O bastante	137
Banhe-se em beleza	145
Aceite um poder superior	152
Entre em relacionamentos	160
Domine sua raiva	167
Todos são um	175
Passemos à próxima etapa	181

PARTE III: CORPO

O domínio do corpo	189
Diga não	205
Faça uma caminhada	212
Construa uma rotina	219
Livre-se de suas coisas	226
Busque a solitude	233
Seja um *ser* humano	240
Vá dormir	247
Encontre um hobby	254
Cuidado com o escapismo	262
Aja com coragem	267
Passemos ao último ato	273
Epílogo	277
O que vem a seguir?	281
Agradecimentos	283
Fontes e bibliografia	285

PREFÁCIO

Era o final do século I d.C., e Lúcio Aneu Sêneca, o homem com maior influência de Roma, seu maior dramaturgo vivo e mais sábio filósofo, esforçava-se para trabalhar.

O problema era o barulho que vinha da rua, de estilhaçar os ouvidos e chacoalhar a alma.

Roma sempre fora uma cidade barulhenta — pense no ruído de obras em Nova York —, mas o quarteirão onde Sêneca estava hospedado era uma ensurdecedora cacofonia de perturbações. Atletas se exercitavam no ginásio sob seus aposentos, deixando cair grandes pesos. Um massagista socava as costas de homens velhos e gordos. Nadadores chapinhavam na água. Na entrada do prédio, um batedor de carteiras estava sendo preso e fazendo uma cena. Carruagens estrondeavam sobre as ruas de pedra, enquanto carpinteiros martelavam em oficinas e vendedores apregoavam mercadorias. Crianças riam e brincavam. Cães ladravam.

E, mais do que o ruído do lado de fora da janela, havia o simples fato de que a vida de Sêneca estava desmoronando. Era crise após crise após crise. No estrangeiro, a instabilidade ameaçava suas finanças. Ele estava envelhecendo e podia senti-lo.

Tinha sido excluído da política por seus inimigos e, agora em conflito com Nero, poderia facilmente — por mero capricho do imperador — perder a cabeça.

Pela perspectiva de nossa própria vida ocupada, podemos supor que não era o ambiente ideal para se realizar coisa alguma. Desfavorável para se pensar, criar, escrever ou tomar boas decisões. O barulho e as distrações do império eram suficientes "para me fazer odiar minhas próprias faculdades auditivas", disse Sêneca a um amigo.

Não à toa, este cenário intrigou admiradores por séculos. Como um homem cercado por adversidades e dificuldades consegue manter o controle e ainda encontrar a serenidade para raciocinar com clareza e escrever ensaios incisivos perfeitamente elaborados, alguns naquele mesmo aposento, que iriam chegar a milhões e milhões e tocar em verdades às quais poucos alcançariam?

"Fortaleci meus nervos contra todas aquelas coisas", explicou Sêneca a esse mesmo amigo, referindo-se ao barulho. "Forço minha mente a se concentrar e impeço-a de se desviar para elementos alheios; tudo lá fora pode ser um tumulto, contanto que não haja nenhuma perturbação aqui dentro."

Ah, não é isso o que todos desejamos? Que disciplina! Que concentração! Ser capaz de se desligar do ambiente, de exercer suas plenas capacidades a qualquer momento, em qualquer lugar, apesar de todas as dificuldades? Que maravilha isso seria! As coisas que seríamos capazes de realizar! Quão mais felizes seríamos!

Para Sêneca e os demais adeptos da filosofia estoica, se uma pessoa pudesse estabelecer paz dentro de si mesma — se pudesse alcançar *apatheia*, como a chamavam —, o mundo todo

PREFÁCIO

poderia estar caótico e ela ainda seria capaz de pensar bem, trabalhar bem e estar bem. "Podes estar seguro de que estás em paz contigo mesmo", escreveu Sêneca, "quando nenhum ruído chega a ti, quando nenhuma palavra te arranca de ti, seja ela lisonja ou ameaça, ou meramente um som vazio zumbindo à tua volta com um barulho sem sentido." Nesse estado, nada podia tocá-la (nem mesmo um imperador transtornado), nenhuma emoção podia perturbá-la, nenhuma ameaça podia interrompê-la e cada instante do momento presente pertenceria a eles.

É uma ideia poderosa que se torna ainda mais transcendente pelo fato extraordinário de que quase todas as outras filosofias do mundo antigo — por mais diferentes ou distantes que fossem — chegaram exatamente à mesma conclusão.

Fosse um aluno aos pés de Confúcio em 500 a.C., um discípulo do antigo filósofo grego Demócrito cem anos mais tarde, ou um ouvinte sentado no jardim de Epicuro uma geração depois, recebera um chamado igualmente enfático para essa imperturbabilidade, serenidade e tranquilidade.

A palavra budista para isso é *upekkha*. Os muçulmanos chamavam de *aslama*. Os hebreus, *hishtavut*. O segundo livro da *Bhagavad Gita*, o poema épico do guerreiro Arjuna, fala de *samatvam*, uma "uniformidade da mente — uma paz que é sempre a mesma". Os gregos, *euthymia* e *hesychia*. Os epicuristas, *ataraxia*. Os cristãos, *aequanimitas*.

Em português: quietude.

Estar firme enquanto o mundo dá voltas. Agir sem exasperação. Ouvir somente o necessário. Ter a serenidade — exterior e interior — sempre ao alcance.

Ter acesso ao *tao* e ao *logos*. A Palavra. O Caminho.

Budismo. Estoicismo. Epicurismo. Cristianismo. Hinduísmo. É quase impossível encontrar uma escola filosófica ou religião que não venere essa paz interior — essa *quietude* — como o bem mais elevado, a chave para um desempenho de alto nível e uma vida feliz.

E, quando basicamente *toda* a sabedoria do mundo antigo concorda em algo, só um tolo se recusaria a ouvir.

A QUIETUDE É A CHAVE

INTRODUÇÃO

O chamado para a quietude chega silenciosamente. O mundo moderno não.

Além do estrépito, da tagarelice, da intriga e da rivalidade que eram familiares às pessoas do tempo de Sêneca, temos buzinas de carro, aparelhos de som, toques de celular, notificações de redes sociais, motosserras, aviões.

Nossos problemas pessoais e profissionais parecem igualmente esmagadores. Concorrentes se intrometem em nossa indústria. Nossas mesas vivem cheias de papéis, e nossos e-mails transbordam de mensagens. Estamos sempre acessíveis, assim discussões e novidades nunca estão muito distantes. Os noticiários nos bombardeiam com uma crise após a outra em todas as telas que possuímos — e são muitas. O desgaste do trabalho virou rotina e parece nunca cessar. Somos superalimentados e subnutridos. Superestimulados, sobrecarregados e solitários.

Quem tem o poder de parar? Quem tem tempo para pensar? Há alguém que não seja afetado pelo alarido e pelas disfunções de nosso tempo?

Embora a magnitude e a urgência de nosso esforço sejam modernas, elas estão enraizadas num problema atemporal. De fato, a história mostra que a capacidade de cultivar a quietude e acalmar a agitação dentro de nós, de desacelerar a mente, de compreender nossas emoções e de dominar nossos corpos sempre foi extremamente difícil. "Todos os problemas da humanidade", disse Blaise Pascal em 1654, "derivam da incapacidade do homem em se manter tranquilo na solidão de um aposento."

Ao longo da evolução, diferentes espécies, como pássaros e morcegos, desenvolveram adaptações semelhantes para sobreviver. O mesmo pode ser dito das escolas filosóficas separadas por vastos oceanos e séculos de distância. Elas desenvolveram caminhos únicos para o mesmo destino crítico: a quietude requerida para se tornar senhor da própria vida. Para sobreviver e prosperar em todo e qualquer ambiente, por mais barulhento ou agitado que seja.

Por essa razão, a ideia de quietude não é uma tolice da Nova Era nem domínio de monges e sábios, mas de fato desesperadamente necessária para todos nós, quer estejamos gerindo um fundo de cobertura ou jogando no Super Bowl, desbravando um novo campo de pesquisa ou formando uma família. É um caminho possível até a iluminação e a excelência, a grandeza e a felicidade, tanto ao desempenho quanto à presença, para *todo tipo de pessoa*.

A quietude é o que aponta a flecha do arqueiro. Ela inspira novas ideias. Aguça perspectivas e ilumina conexões. Desacelera a bola para que possamos acertá-la. Gera uma visão, ajuda-nos a resistir às paixões da multidão, cria espaço para a gratidão e o fascínio. A quietude nos permite perseverar. Triunfar. Ela é a chave que liberta as descobertas geniais e permite que nós, pessoas comuns, as compreendamos.

A promessa deste livro é a localização dessa chave... e um chamado não só para alcançar a quietude, mas para irradiá-la como uma estrela — como o Sol — para um mundo que precisa de luz mais do que nunca.

A *chave para tudo*

Nos primeiros dias da Guerra Civil Americana, havia uma centena de planos concorrentes sobre como assegurar a vitória e quem designar para fazê-lo. Da parte de cada general e a respeito de cada batalha, havia uma quantidade interminável de críticas e paixões perigosas — havia paranoia e medo, ego e arrogância, e muito pouco em matéria de esperança.

Há uma passagem maravilhosa desses primeiros momentos tensos, em que Abraham Lincoln falou para um grupo de generais e políticos em sua sala na Casa Branca. A maioria das pessoas naquela época acreditava que a guerra só poderia ser ganha por meio de batalhas enormes, inevitavelmente sangrentas, nas maiores cidades do país, como Richmond e Nova Orleans e talvez até Washington, D.C.

Lincoln, um homem que aprendeu estratégia militar sozinho por meio da leitura atenta de livros que tomava emprestados da Biblioteca do Congresso, abriu um mapa sobre uma grande mesa e apontou, em vez disso, para Vicksburg, no Mississippi, uma cidadezinha nos recônditos do território sulista. Era uma cidade fortificada no alto das ribanceiras do rio Mississippi, ocupada pelas tropas rebeldes mais resistentes. Ela não só controlava a navegação desse importante canal; também era um ponto de confluência para vários outros afluentes expressivos, bem como para linhas ferroviárias que abasteciam exércitos confederados e enormes fazendas de mão de obra escrava em todo o Sul.

"Vicksburg é a chave", disse convicto ao grupo, um homem com a certeza de quem estudara tanto um assunto a ponto de conseguir expressá-lo nos termos mais simples. "A guerra nunca poderá ser encerrada até que essa chave esteja em nosso bolso."

De fato, revelou-se que Lincoln acertara em cheio. Levaria anos, demandaria uma equanimidade e uma paciência incríveis, assim como um compromisso extremo com sua causa, mas a estratégia exposta naquela sala foi o que venceu a guerra e pôs fim à escravidão nos Estados Unidos para sempre. Todas as outras vitórias importantes na Guerra Civil — de Gettysburg até a Marcha ao Mar do general Sherman e a rendição de Lee — tornaram-se possíveis porque, por instrução de Lincoln, Ulysses S. Grant sitiou Vicksburg em 1863 e, ao tomar a cidade, dividiu o Sul em dois e passou a controlar aquele importante canal. De sua maneira ponderada e intuitiva, sem nenhuma pressa ou distração, Lincoln vislumbrou o que escapara a seus próprios assessores e até a seus inimigos, aferrando-se a tal ideia. Porque ele possuía a chave que abriu as portas para a vitória em meio ao rancor e à loucura de todos aqueles primeiros planos concorrentes.

Em nossas vidas, enfrentamos um sem-número de problemas e somos puxados em incontáveis direções por prioridades e crenças concorrentes. No caminho de tudo que esperamos realizar, no âmbito pessoal e no profissional, encontram-se obstáculos e inimigos. Martin Luther King Jr. observou que havia uma violenta guerra civil sendo travada dentro de cada pessoa — entre nossos bons e maus impulsos, entre nossas ambições e nossos princípios, entre nossos potenciais e a dificuldade de atingi-los.

INTRODUÇÃO

Nessas batalhas, nessa guerra, a quietude é o rio e o entroncamento ferroviário dos quais tanta coisa depende. *Ela é a chave...*

- Para pensar com clareza.
- Para ver todo o tabuleiro de xadrez.
- Para tomar decisões difíceis.
- Para controlar nossas emoções.
- Para identificar as metas corretas.
- Para lidar com situações de alta pressão.
- Para conservar relacionamentos.
- Para formar bons hábitos.
- Para ser produtivo.
- Para ter um desempenho físico de alto nível.
- Para se sentir realizado.
- Para conquistar momentos de riso e alegria.

A quietude é a chave para, bem, quase tudo.

Para ser um pai ou mãe melhor, um artista melhor, um investidor melhor, um atleta melhor, um cientista melhor, um ser humano melhor. Para desbloquear todo o nosso potencial nesta vida.

Essa quietude pode ser sua

Qualquer pessoa que, concentrada profundamente, tenha sido acometida por um insight ou uma inspiração conhece a quietude. Qualquer pessoa que deu seu melhor em alguma coisa, sentiu orgulho de ter concluído a tarefa e de saber que não deixou absolutamente nada de lado — isso é quietude. Qualquer pessoa que deu um passo à frente sob o escrutínio da multidão e em seguida lançou mão de todas as suas horas de treino para aquela única apresentação — isso é quietude, ainda que envolva movimento ativo. Qualquer pessoa que passou tempo com alguém sábio e especial e o viu resolver em dois segundos o problema que nos atormentara por meses — quietude. Qualquer pessoa que caminhou sozinha à noite por uma rua silenciosa enquanto nevava, e observou como a luz descia suavemente sobre a neve, sentindo-se aquecida pela satisfação de estar viva — isso também é quietude.

Olhar para a página em branco diante de nós e observar as palavras se derramarem numa prosa perfeita, sem saber de onde elas vêm; permanecer sobre a fina areia branca olhando para o oceano, ou em algum outro lugar em meio à natureza, e sentir-se parte de algo maior que si mesmo; uma noite tranquila com um ente querido; a satisfação de ter feito uma boa ação para outra pessoa; sentarmo-nos sozinhos com nossos pensamentos e aproveitar pela primeira vez a capacidade de refletir sobre eles enquanto os pensamos. *Quietude*.

Sem dúvida há certa inefabilidade nisso de que estamos falando, na expressão da quietude que o poeta Rainer Maria Rilke descreveu como "cheia, completa" onde "todos os aleatórios e aproximados foram silenciados".

"Embora falemos de alcançar o *tao*", disse Lao Tsé certa vez, "não há de fato nada para obter." Ou para tomar emprestada a resposta de um mestre para um discípulo que perguntou onde poderia encontrar o zen: "Estás à procura de um boi enquanto tu mesmo estás em cima dele."

Você já vivenciou a quietude antes. Sentiu-a na sua alma. E quer mais dela.

INTRODUÇÃO

Você *precisa* de mais dela.

É por isso que o objetivo deste livro é simplesmente mostrar como descobrir e fazer uso da quietude que já possuímos. Ele trata do cultivo e da conexão daquela força poderosa que nos foi dada ao nascer, aquela que se atrofiou em nossas agitadas vidas modernas. Este livro é uma tentativa de responder à questão premente de nosso tempo: se os momentos tranquilos são os melhores, e se tantas pessoas sábias e virtuosas cantaram seus louvores, por que eles são tão raros?

Bem, a resposta é que, embora tenhamos a predisposição natural à quietude, acessá-la não é fácil. Devemos prestar atenção de verdade para ouvi-la falando conosco. E responder ao chamado requer energia e maestria. "Manter a mente sossegada exige uma enorme disciplina que deve ser enfrentada com a maior dedicação da sua vida.", o finado Garry Shandling lembrou a si mesmo em seu diário enquanto lutava para equilibrar fama, fortuna e problemas de saúde.

As páginas que se seguem contam as histórias e as estratégias de homens e mulheres que eram exatamente como você, que enfrentaram dificuldades como você enfrenta em meio ao ruído e às responsabilidades da vida, mas conseguiram ter sucesso ao encontrar e empregar a quietude. Você ouvirá relatos dos triunfos e provações de John F. Kennedy e Fred Rogers, Anne Frank e a rainha Vitória. Haverá histórias sobre Jesus e Tiger Woods, Sócrates, Napoleão, o compositor John Cage, Sadaharu Oh, Rosanne Cash, Dorothy Day, Buda, Leonardo da Vinci e Marco Aurélio.

Teremos o recurso de poesias e romances, textos filosóficos e pesquisas científicas. Faremos uma incursão por todas as escolas e todas as eras possíveis para encontrar estratégias que nos ajudem a orientar nossos pensamentos, processar nossas emoções e dominar nossos corpos. Para que possamos fazer menos... e fazer mais. Realizar mais, porém precisar menos disso. Sentirmo-nos melhor e *sermos* melhores ao mesmo tempo.

Para alcançar a quietude, precisaremos nos concentrar em três domínios, a trindade atemporal de mente, alma, corpo, — a cabeça, a carne, o coração.

Em cada domínio, buscaremos reduzir os transtornos e perturbações que dificultam a quietude. Pôr termo à guerra que travamos com o mundo e dentro de nós mesmos, e estabelecer no lugar dela uma duradoura paz interior e exterior.

Você sabe que isso é o que você quer — o que você merece. Foi por isso que pegou este livro.

Respondamos então ao chamado juntos. Encontremos a quietude que buscamos — entremos nela.

PARTE I

MENTE ♦ ESPÍRITO ♦ CORPO

A mente é inquieta, Krishna, impetuosa, obstinada, difícil de adestrar: dominar a mente parece tão difícil quanto dominar os ventos fortes.
— Bhagavad Gita

O DOMÍNIO DA MENTE

O mundo todo mudou nas poucas horas entre John F. Kennedy ir se deitar em 15 de outubro de 1962 e acordar na manhã seguinte.

Porque, enquanto o presidente dormia, a CIA identificou a construção em andamento para instalações soviéticas de mísseis nucleares de médio e longo alcance na ilha de Cuba, a apenas 145 quilômetros do litoral americano. Como Kennedy diria a um atordoado público americano dias depois: "Cada um desses mísseis é capaz de atingir Washington, D.C., o canal do Panamá, o cabo Canaveral, a Cidade do México ou qualquer outra cidade na parte sudeste dos Estados Unidos, na América Central ou no Caribe."

Quando Kennedy recebeu seu primeiro relatório sobre o que conhecemos hoje como a Crise dos Mísseis de Cuba — ou simplesmente como os Treze Dias —, o presidente só pôde considerar os aterradores riscos. Esperava-se a morte de nada menos que setenta milhões de pessoas nos primeiros choques entre os Estados Unidos e a União Soviética. Mas isso era só uma conjectura — ninguém sabia de fato quão terrível seria a guerra nuclear.

Kennedy tinha certeza apenas de que enfrentava uma escalada sem precedentes da Guerra Fria que há tempos vinha se desenrolando entre Washington e Moscou. E fossem quais fossem os fatores que contribuíram para sua criação e por mais inevitável que a guerra parecesse, cabia a ele, no mínimo, simplesmente *não piorar as coisas*, porque isso poderia implicar o fim da vida no planeta Terra.

Kennedy era um jovem presidente nascido em imenso privilégio, criado por um pai agressivo que detestava perder, numa família cujo lema, eles brincavam, era "Não se irrite, dê o troco". Não contando com quase nenhuma experiência de liderança executiva, não é surpresa, portanto, que o primeiro ano e meio da administração de Kennedy não tivesse corrido bem.

Em abril de 1961, Kennedy tinha tentado — e fracassado de maneira vergonhosa — invadir Cuba e derrubar Fidel Castro na baía dos Porcos. Apenas alguns meses depois, ele foi diplomaticamente subjugado pelo premiê soviético Nikita Khruschov numa série de encontros em Viena. (Kennedy qualificaria isso de a "coisa mais difícil pela qual já passei".) Percebendo a fraqueza política de seu adversário e provavelmente ciente da fragilidade física que ele suportava em consequência da doença de Addison e de lesões sofridas nas costas durante a Segunda Guerra Mundial, Khruschov mentiu repetidas vezes para Kennedy sobre a presença de quaisquer armas em Cuba, insistindo que as instalações seriam unicamente para fins de defesa.

Ou, seja, durante a Crise de Mísseis Kennedy enfrentou, como todo líder enfrentará em algum momento de seu mandato, um difícil incidente em meio a circunstâncias pessoais e políticas complicadas. Havia muitas questões: por que Khruschov faria isso? Aonde queria chegar? Que planos o homem estaria tentando executar? Havia uma maneira de resolver isso? Que pensavam os assessores de Kennedy? Quais eram as opções? Ele estava à altura dessa tarefa? Teria capacidade de lidar com ela?

O destino de milhões de pessoas dependia de suas respostas.

O aconselhamento dos assessores de Kennedy foi direto e enfático: as bases de mísseis tinham de ser destruídas com todo o poderio do arsenal militar do país. Cada segundo desperdiçado punha em risco a segurança e a reputação dos Estados Unidos. Depois do ataque surpresa aos mísseis, teria de haver uma invasão total de Cuba por tropas americanas. Isso, disseram eles, além de ser mais do que justificável pelas ações da União Soviética e de Cuba, era a única opção de Kennedy.

A lógica deles era tanto primitiva quanto satisfatória: agressão devia ser enfrentada com agressão. Olho por olho.

O único problema era que, se essa lógica se revelasse falha, não haveria ninguém para responder pelo erro, pois todos estariam mortos.

Ao contrário do que ocorrera em seus primeiros dias de presidência, quando Kennedy permitiu que a CIA o pressionasse a apoiar o fiasco da baía dos Porcos, dessa vez ele surpreendeu a todos e se opôs ao plano. Ele lera pouco antes *The Guns of August*, de Barbara Tuchman, um livro sobre o início da Primeira Guerra Mundial, que imprimiu em sua mente a imagem de líderes mundiais superconfiantes precipitando-se rumo a um conflito que, uma vez iniciado, não conseguiam cessar. Kennedy queria que todos desacelerassem para que pudessem refletir de fato sobre o problema à sua frente.

Essa é, na verdade, a primeira obrigação de um líder ou de alguém responsável por tomar decisões. Nossa tarefa não é "seguir nosso instinto" ou nos fixarmos na primeira impressão que formamos. Não, precisamos ser fortes o bastante para resistir aos pensamentos que parecem bons demais, plausíveis demais, mas que muitas vezes estão errados. Afinal, se o líder não consegue ter calma para formar uma noção clara do quadro geral, quem terá? Se o líder não está pensando com cuidado até o fim, quem está?

Podemos ver nas anotações escritas à mão por Kennedy durante a crise uma espécie de processo meditativo em que ele tentou fazer precisamente isso. Em numerosas páginas, ele escreve "Míssil. Míssil. Míssil", ou "Veto. Veto. Veto. Veto", ou "Líderes. Líderes. Líderes". Numa página, mostrando seu desejo de não agir sozinho ou de maneira egoísta: "Consenso. Consenso. Consenso. Consenso. Consenso. Consenso." Durante uma reunião, Kennedy desenhou dois barcos a vela, acalmando-se com pensamentos sobre seu tão amado oceano num bloco amarelo pautado. Por fim, em papel de carta da Casa Branca, como se para esclarecer para si mesmo a única coisa que importava, ele escreveu uma frase curta: "Estamos *exigindo* a retirada dos mísseis."

Talvez tenha sido ali, sentado em meio a seus assessores enquanto rabiscava, que ele se lembrou de uma passagem de um livro sobre estratégia nuclear, do teórico B.H. Liddell Hart. Na crítica do livro de Hart que Kennedy escreveu para a *Saturday Review of Literature* alguns anos antes, ele citou esta passagem:

Seja forte, se possível. Em todo caso, mantenha a calma. Tenha ilimitada paciência. Nunca encurrale um adversário e sempre o ajude a manter as aparências. Ponha-se no lugar dele — de modo a ver as coisas através dos seus olhos. Evite a presunção como o diabo — nada cega tanto quanto ela.

Esse se tornou o lema de Kennedy durante a Crise dos Mísseis. "Acho que devemos pensar em por que os russos fizeram isso", disse ele a seus assessores. *Qual é a vantagem que estão tentando obter?*, perguntou, com interesse genuíno. "Deve haver alguma razão importante para os soviéticos armarem isso." Como escreveu Arthur Schlesinger Jr., assessor e biógrafo de Kennedy: "Com sua capacidade de compreender o problema dos outros, o presidente conseguia ver como o mundo poderia parecer ameaçador para o Kremlin."

Essa percepção o ajudaria a responder adequadamente à provocação inesperada e perigosa dos soviéticos — e lhe permitiria intuir como eles reagiriam.

Ficou claro para Kennedy que Khruschov pôs os mísseis em Cuba porque acreditava que ele, Kennedy, era fraco. Mas isso não significava que os russos achassem que a posição deles próprios era particularmente forte. Apenas uma nação desesperada correria semelhante risco, compreendeu Kennedy. Armado com esse entendimento, que foi fruto de longas discussões com sua equipe — chamada ExComm —, ele começou a formular um plano de ação.

Claramente, um ataque militar era a mais irreversível de todas as opções (tampouco era provável, segundo seus assessores, que fosse 100% eficaz). Kennedy se perguntou: o que aconteceria depois disso? Quantos soldados morreriam numa invasão? Como o mundo reagiria a um país maior invadindo outro menor, ainda que fosse para deter uma ameaça nuclear? O que os russos fariam para manter as aparências ou proteger seus soldados na ilha?

Essas questões direcionaram Kennedy para um bloqueio de Cuba. Cerca de metade de seus assessores foi contrária a essa jogada menos agressiva, mas ele a preferiu precisamente porque preservava suas opções.

O bloqueio também incorporava a sabedoria de uma das expressões favoritas de Kennedy: *ele usava o tempo como uma ferramenta*. Isso dava a ambos os lados uma chance de examinar o que estava em jogo na crise e oferecia a Khruschov a oportunidade de reavaliar sua impressão da suposta fraqueza de Kennedy.

Mais tarde alguns atacariam Kennedy também por essa escolha. Por que desafiar a Rússia? Por que os mísseis eram tão importantes? Os Estados Unidos não tinham muitos dos seus mísseis apontados para os soviéticos? Kennedy não era insensível a esse argumento, mas, como explicou ao público americano em seu discurso de 22 de outubro, não era possível simplesmente se submeter:

> Os anos 1930 nos ensinaram uma clara lição: a conduta agressiva, se não for controlada e contestada, acaba conduzindo à guerra. Esta nação é contrária à guerra. Somos também fiéis à nossa palavra. Nosso objetivo inabalável, portanto, deve ser evitar o uso desses mísseis contra este ou qualquer outro país, e assegurar sua retirada ou elimi-

nação do hemisfério ocidental (...) Não nos exporemos prematura ou desnecessariamente ao risco de uma guerra nuclear mundial, em que mesmo os frutos da vitória seriam cinzas em nossa boca — mas tampouco nos esquivaremos desse risco se em algum momento ele tiver de ser enfrentado.

O mais notável sobre essa conclusão é a calma com que Kennedy chegou a ela. Apesar do enorme estresse da situação, podemos ouvir em gravações e ver em transcrições e fotos da época como todos estavam cooperativos e abertos. Nenhuma briga, nenhuma voz se elevando. Nenhuma troca de acusações (e, quando as coisas ficavam de fato tensas, Kennedy era capaz de rir da situação). Kennedy não deixava seu próprio ego, nem o de outras pessoas, dominar a discussão. Quando sentia que sua presença estava inibindo a franqueza de seus assessores, retirava-se da sala para que pudessem debater e aventar ideias à vontade. Transpondo linhas partidárias e antigas rivalidades, ele se consultou abertamente com os três ex-presidentes ainda vivos e convidou o secretário de Estado anterior, Dean Acheson, para participar das reuniões ultrassecretas de igual para igual.

Nos momentos mais tensos, Kennedy buscava solidão no Jardim das Rosas da Casa Branca (mais tarde ele agradeceria à jardineira por sua importante contribuição durante a crise). Nadava por longos períodos, tanto para desanuviar a mente quanto para pensar. Sentava-se na cadeira de balanço feita especialmente para ele no Salão Oval, banhado pela luz que atravessava aquelas enormes janelas, aliviando a dor em suas costas para que ela não se somasse ao nevoeiro de guerra (fria) que descera tão densamente sobre Washington e Moscou.

Há uma fotografia de Kennedy de costas para a sala, encurvado, apoiando os dois punhos na grande escrivaninha, a qual ele ocupou após ser escolhido por milhões de eleitores. Esse é um homem com o destino do mundo sobre seus ombros, provocado por uma superpotência nuclear num ato inesperado de má-fé. Críticos questionam sua coragem. Há considerações políticas, considerações pessoais; há mais fatores do que um indivíduo é capaz de ponderar de uma só vez.

No entanto, ele não permite que nada disso o apresse. Nada disso anuviará seu julgamento ou o impedirá de fazer a coisa certa. Ele é o sujeito mais calmo na sala.

Kennedy precisaria permanecer assim, porque a simples *decisão* pelo bloqueio foi apenas o primeiro passo. Em seguida vieram o anúncio e a interdição imposta sobre uma zona de oitocentos quilômetros em torno de Cuba (que ele chamou brilhantemente de "quarentena", para minimizar as implicações mais agressivas do termo "bloqueio"). Haveria acusações mais beligerantes dos russos e confrontações na ONU. Líderes no Congresso expressaram suas dúvidas. Cem mil soldados ainda tinham de estar preparados na Flórida, por precaução.

Depois haveria as provocações reais. Um navio petroleiro russo aproximou-se da linha de quarentena. Submarinos russos emergiram. Um avião espião americano U-2 foi abatido sobre Cuba, provocando a morte do piloto.

Os dois maiores e mais poderosos países do mundo estavam "olho a olho". Era na verdade mais assustador e mais funesto do que se imaginava — alguns dos mísseis soviéticos, que antes acreditava-se estarem apenas no processo de montagem, estavam armados e a postos. Mesmo sem que se soubesse disso, o terrível perigo podia ser *sentido*.

Iria Kennedy se deixar dominar pelas emoções? Iria pestanejar? Iria esmorecer?

Não, não iria.

"Não é o primeiro passo que me preocupa", disse ele aos assessores e a si mesmo, "mas ambos os lados escalarem para o quarto e o quinto passo — e não iremos até o sexto porque não haverá ninguém para fazê-lo. Devemos nos lembrar que estamos enveredando por um caminho muito perigoso."

O prazo que Kennedy deu a Khruschov para respirar e pensar compensou bem a tempo. Em 26 de outubro, onze dias após o início da crise, o premiê soviético escreveu uma carta para Kennedy dizendo que agora percebia que ambos estavam puxando uma corda com um nó no meio — um nó de guerra. Quanto mais cada um puxava, menos provável se tornava desatá-lo, e finalmente não haveria escolha senão cortar a corda com uma espada. E então Khruschov forneceu uma analogia ainda mais vívida, tão verdadeira em geopolítica quanto na vida cotidiana: "Se as pessoas não exibirem a sabedoria de um estadista acabarão se chocando, como toupeiras cegas, dando início a uma aniquilação mútua."

De repente, a crise chegou ao fim tão rápido quanto começara. Os russos, compreendendo que sua posição era insustentável e que haviam fracassado ao testarem a determinação dos Estados Unidos, deram sinais de que negociariam — de que removeriam os mísseis. Os navios se detiveram abruptamente na água. Kennedy também estava pronto. Ele prometeu que os Estados Unidos não invadiriam Cuba, dando aos russos e seus aliados uma vitória. Em segredo, também comunicou aos russos que estava disposto a remover mísseis americanos na Turquia, mas só o faria dali a vários meses, para não dar a impressão de que podia ser pressionado a abandonar um aliado.

Com lucidez, sabedoria, paciência e um olhar aguçado para a raiz de um conflito complexo e mobilizador, Kennedy havia salvado o mundo de um apocalipse nuclear.

Poderíamos dizer que Kennedy, ainda que apenas nesse breve período de menos de duas semanas, conseguiu alcançar aquele estágio de clareza de que fala o antigo texto chinês *Tao Te Ching*. Enquanto encarava a aniquilação nuclear, ele estava:

> *Cauteloso, como aquele que atravessa um riacho congelado.*
> *Alerta, como um guerreiro em território inimigo.*
> *Gentil, como um visitante.*
> *Fluido, como o gelo ao derreter.*
> *Transformável, como um pedaço de madeira.*
> *Acolhedor, como um vale.*
> *Claro, como um copo d'água.*

Os taoistas diriam que ele tinha acalmado a água enlameada em sua mente até ser capaz de ver através dela. Ou, para tomar emprestada a imagem do imperador Marco Aurélio, o filósofo estoico que encarara ele próprio inúmeras crises e desafios, Kennedy tinha sido "como a rocha contra a qual as ondas continuam a se quebrar. Ela resiste, impassível, e a fúria do mar tomba inerte à sua volta".

Em nossa vida, cada um de nós enfrentará crises. Os riscos podem ser mais baixos, mas para nós terão importância. Um negócio à beira do colapso. Um divórcio amargo. Uma decisão sobre o futuro de nossa carreira. Um momento em que todo o jogo depende de nós. Essas situações farão apelo a todos os nossos recursos mentais. Uma resposta emocional e reativa — uma resposta irrefletida, imatura — não será suficiente. Não se quisermos fazer as coisas direito. Não se quisermos ter nosso melhor desempenho.

Precisaremos então daquela mesma quietude de que Kennedy fez uso. Sua calma, sua abertura de espírito. Sua empatia. Sua clareza quanto ao que realmente importava.

Nessas situações, devemos:

- Estar plenamente presentes.
- Esvaziar nossa mente de ideias preconcebidas.
- Dar-nos tempo.
- Sentar em silêncio e refletir.
- Rejeitar a distração.
- Pesar os conselhos e o que dizem nossas convicções.
- Deliberar sem ficar paralisados.

Devemos cultivar a quietude mental para ter sucesso na vida e para conseguir contornar as muitas crises que ela joga em nosso caminho.

Não será fácil. Mas é essencial.

Pelo resto de sua curta vida, Kennedy temeu que as pessoas extraíssem as lições erradas de suas ações durante a Crise dos Mísseis. Não foi uma questão de usar a superioridade bélica como ameaça aos soviéticos até que recuassem. Em vez disso, uma liderança calma e racional havia prevalecido sobre vozes mais temerárias e imprudentes. A crise foi resolvida graças a seu domínio sobre o próprio pensamento, e sobre o pensamento daqueles que trabalhavam para ele — e seria a esses traços que os Estados Unidos precisariam recorrer muitas vezes nos anos vindouros. A lição não era sobre *força*, mas sobre o poder da paciência, alternando confiança e humildade, previsão e presença, empatia e convicção resoluta, moderação e firmeza, e reclusão tranquila combinada à deliberação prudente.

O mundo não seria melhor com mais desses comportamentos? Sua própria vida não seria melhor?

Kennedy, como Lincoln, não nasceu com essa quietude. Ele foi um encrenqueiro insolente no ensino médio, um diletante na maior parte de sua vida acadêmica e até como senador. Tinha seus demônios e cometeu muitos erros. Mas, com esforço — do qual você também é capaz —, ele superou essas deficiências e desenvolveu a equanimidade que lhe serviu tão bem durante aqueles trezes dias aterrorizantes. Foi um esforço em apenas algumas poucas categorias que quase todo mundo negligencia.

E é para isso que vamos voltar nosso foco agora — para o controle do que chamaremos nesta seção de "o domínio da mente" —, porque tudo que fazemos depende de uma compreensão correta disso.

TORNE-SE PRESENTE

Não confia no futuro, por agradável que seja!
Deixa o passado morto enterrar seus mortos!
Age, — age no presente vivo!
Coração dentro, e Deus no alto!

— Henry Wadsworth Longfellow

A decisão, em 2010, de intitular a retrospectiva das quatro décadas da carreira de Marina Abramović no MoMA, em Nova York, de A *artista está presente* foi influência para a monumental performance criada para o evento. Naturalmente, Marina precisaria de estar presente de uma maneira ou de outra.

Mas ninguém teria ousado pensar que ela de fato estaria lá... o tempo todo.

Quem conceberia que um ser humano poderia ficar sentado em silêncio numa cadeira, completamente imóvel, por um total de 750 horas durante 79 dias, em frente a 1.545 estranhos, sem ajuda, sem distração, sem sequer ir ao banheiro? Quem imaginaria que ela iria querer fazer isso? Que ela conseguiria?

Como seu ex-companheiro e colaborador Ulay disse quando lhe perguntaram o que pensava da possibilidade: "Não tenho opiniões, somente respeito."

A performance foi tão simples quanto direta. Marina, de 63 anos, seu cabelo longo trançado e sobre o ombro, entrava naquela sala enorme, sentava-se numa cadeira dura de madeira e apenas olhava fixamente para a pessoa diante dela. Elas chegaram uma após outra, hora após hora, dia após dia, por quase três meses. Após cada uma, ela baixava os olhos, recompunha-se e em seguida voltava a olhar para o novo rosto.

Como Marina diria sobre sua arte: "A proposta aqui é apenas esvaziar o eu. Ser capaz de estar presente."

Será assim tão difícil estar presente? O que há de tão especial nisso?

Ninguém no público que se sentou em frente a ela faria perguntas como essas. Para aquelas almas afortunadas o bastante para ver a performance pessoalmente, foi quase uma experiência religiosa. Vivenciar outra pessoa por completo no momento é uma coisa rara. Senti-la envolver-se com você, dando toda a energia a você, como se não houvesse mais nada que importasse no mundo, é ainda mais raro. Ver alguém fazer isso por tanto tempo, tão intensamente?

Muitos espectadores choraram. Todos disseram que as horas na fila valeram a pena. Era como olhar numa espécie de espelho, onde eles podiam sentir sua própria vida pela primeira vez.

Imagine: se a mente de Marina se deixasse levar, se ela devaneasse, a pessoa diante dela imediatamente sentiria que a artista estava em algum outro lugar. Se ela desacelerasse demais a mente e o corpo, poderia adormecer. Se ela se permitisse ter sensações físicas normais — fome, desconforto, dor, necessidade de ir ao banheiro —, seria impossível não se mover ou levantar. Se tentasse adivinhar quanto tempo de performance restava no dia, o tempo se reduziria a um arrastar intolerável. Assim, com a disciplina de um monge e a força de um guerreiro, ela ignorava essas distrações para existir exclusivamente no momento presente. Precisava estar onde estavam seus pés, precisava se importar com a pessoa à frente e com a experiência compartilhada acima de tudo.

"As pessoas não entendem que o mais difícil na verdade é fazer algo próximo de nada", disse Abramović sobre a performance. "Exige tudo de você... não há nenhum objeto atrás do qual se esconder. É só você."

Estar presente exige tudo de nós. Não é nada. Talvez seja a coisa mais difícil do mundo.

Quando estamos no pódio, prestes a fazer um discurso, nossa mente está concentrada não em nossa tarefa, mas no que todos vão pensar de nós. Como é que isso não afeta nosso desempenho? Quando enfrentamos uma crise, nossa mente repete em *looping* como aquilo é injusto, como é insano que continue acontecendo e que não pode continuar assim. Por que estamos nos esvaziando de energias emocionais e mentais essenciais justo quando mais precisamos delas?

Mesmo durante um entardecer tranquilo em casa, tudo em que pensamos é a lista de melhorias que precisam ser feitas. Pode haver um belo pôr do sol, mas, em vez absorvê-lo, estamos *tirando uma foto dele*.

Não estamos presentes... por isso acabamos perdendo a chance. De viver. De ser o melhor que podemos. De *ver* o que está ali.

Muitas das pessoas na fila para ver a performance de Marina Abramović acidentalmente ilustram esse fenômeno. Entrando apressadas ao abrir das portas, elas passaram voando por obras igualmente impressionantes da carreira da artista, pois assim seriam as primeiras na obra "especial". Na fila, permaneciam agitadas, conversando umas com as outras para matar o tempo de espera. Cochilavam, apoiadas umas nas outras. Checavam seus celulares... e depois os checavam de novo. Imaginavam as reações que teriam na vez delas e especulavam sobre como seria. Algumas planejavam em segredo pequenos estratagemas que esperavam lhes render quinze segundos de fama.

Para quantas maravilhas corriqueiras elas fechavam suas mentes?

Isso nos faz pensar. Depois que as pessoas tinham sua experiência transcendental com Marina — ficar face a face com uma verdadeira presença —, quando deixavam o museu e entravam numa rua movimentada de Nova York, será que elas respiravam de um modo diferente o ritmo vibrante da selva urbana, ou, o mais provável, retomavam imediatamente suas vidas agitadas, cheias de distração, ansiedade, sonhos, inseguranças e ego?

Em suma, será que faziam exatamente o que todos nós fazemos quase todos os dias?

Nós não vivemos *neste* momento. Nós, na realidade, tentamos desesperadamente sair dele — pensando, fazendo, falando, nos preocupando, lembrando, esperando, seja o que for. Pagamos somas enormes para ter em nosso bolso um aparelho que garanta que nunca fiquemos entediados. Inscrevemo-nos em inúmeras atividades e assumimos um sem-fim de obrigações, corremos atrás de dinheiro e realizações, tudo com a crença ingênua de que no fim disso haverá felicidade.

Tolstói observou que o amor não pode existir no futuro. O amor só é real se estiver acontecendo agora mesmo. Refletindo com cuidado, percebe-se que isso serve para basicamente tudo que pensamos, sentimos ou fazemos. Os melhores atletas, nos melhores jogos, estão completamente *lá*. Eles estão dentro de si mesmos, dentro do agora.

Lembre-se, não há grandeza no futuro. Ou clareza. Ou inspiração. Ou felicidade. Ou paz. Só há este momento.

Não que ele dure literalmente algum tempo exato. O verdadeiro momento presente é aquele em que escolhemos existir, em vez de nos demorarmos no passado ou nos inquietarmos com o futuro. Sua duração é o intervalo em que conseguimos afastar tanto as impressões do que aconteceu antes quanto os temores e as expectativas sobre o que pode vir a ocorrer. O agora pode durar alguns minutos, uma manhã ou um ano — se você puder ficar nele tanto tempo.

Como disse Laura Ingalls Wilder, *o agora é agora*. Nunca pode ser qualquer outra coisa.

Agarre-o!

Quem é tão talentoso a ponto de se dar ao luxo de permitir que apenas parte de si lide com um problema ou uma oportunidade? Cujos relacionamentos são tão sólidos que ele pode ser ausente e sair impune? Quem tem tamanha certeza de que virá um outro momento e que por isso pode deixar este passar? Quanto menos energia desperdiçamos nos arrependendo do passado ou nos preocupando com o futuro, mais energia temos para nos dedicar ao que está à nossa frente.

Queremos aprender a enxergar o mundo como um artista: enquanto os outros estão alheios a tudo ao redor, o artista *vê* de verdade. Sua mente, inteiramente empenhada, percebe a maneira como um pássaro voa, como um desconhecido segura o garfo ou como uma mãe olha para o filho. O artista não tem pensamentos sobre o dia seguinte. Dedica-se apenas a capturar e comunicar esta experiência.

Um artista está *presente*. E é dessa quietude que vem o brilhantismo.

Este momento que estamos vivenciando agora mesmo é uma dádiva (é por isso que o chamamos de *presente*). Ainda que seja uma experiência estressante e penosa — poderia ser a nossa última. Por isso é preciso desenvolver a capacidade de estar nele, de usar todos os nossos recursos para apreciar a plenitude do agora.

Não rejeite um momento difícil ou irritante por ele não ser exatamente o que você quer. Não desperdice um belo momento por insegurança ou timidez. Faça o possível com o que lhe foi dado. Viva o que pode ser vivido. É isso que é excelência. É isso que a presença proporciona.

Na meditação, os professores instruem os alunos a se concentrarem na respiração. *Para dentro e para fora. Para dentro e para fora.* Nos esportes, os treinadores falam sobre "o processo" — essa jogada, esse exercício, essa repetição. Não apenas porque o agora é especial, mas porque não dá para fazer o seu melhor se a mente estiver em outro lugar.

Seria bom se seguíssemos isso em nossa vida. Jesus disse a seus discípulos para não se preocuparem com o amanhã, pois o amanhã cuidará de si mesmo. Outra maneira de expressar isso é: você tem coisas o bastante com que lidar agora mesmo.

Concentre-se nisso, não importa o quanto seja pequeno ou insignificante. Faça o melhor que pode agora mesmo. Não imagine o que as pessoas poderão dizer. Não pense demais ou complique desnecessariamente. Esteja aqui. Seja você *por completo*.

Esteja presente.

Você teve dificuldade com isso no passado? Tudo bem.

O bom a respeito do presente é que ele continua aparecendo para lhe dar uma nova oportunidade.

LIMITE SEUS ESTÍMULOS

Uma riqueza de informação cria uma pobreza de atenção.

— Herbert Simon

Quando era general, Napoleão adquiriu o hábito de adiar as respostas às cartas. Seu secretário foi instruído a esperar três semanas antes de abrir qualquer correspondência. Quando enfim ouvia o que estava na carta, Napoleão gostava de apontar quantas questões supostamente "importantes" já tinham se resolvido sozinhas e não mais exigiam resposta.

Embora fosse sem dúvida um líder excêntrico, Napoleão nunca foi negligente em suas obrigações ou desconectado de seu governo ou seus soldados. Porém, para ser ativo e consciente do que realmente importava, ele precisava ser seletivo com relação a quem e a que tipo de informação seria exposto.

Da mesma maneira, ele dizia aos mensageiros para nunca o despertarem com *boas notícias*. Já notícias ruins — isto é, uma crise em curso ou um desdobramento urgente que impactasse negativamente sua campanha — deviam lhe ser levadas de imediato. "Despertem-me no mesmo instante", dizia ele, "porque nesse caso não há tempo a perder."

Esses dois comportamentos eram brilhantes adaptações de uma pessoa ocupada frente à realidade da vida: há coisas demais chegando até nós. Para pensar com clareza, é essencial que cada um descubra como separar o irrelevante do essencial. Não basta ser inclinado ao pensamento profundo e à análise sóbria; um líder deve criar tempo e espaço para isso.

No mundo moderno, isso não é fácil. Nos anos 1990, cientistas políticos começaram a estudar o que chamaram de "Efeito CNN". A mídia e sua cobertura 24 horas por dia dificultam quaisquer reações de políticos e CEOs além da reatividade. Há informação demais, cada detalhe trivial é ampliado sob o microscópio, a especulação é desenfreada — e a mente fica sobrecarregada.

O Efeito CNN é agora um problema para todos, não apenas para presidentes e generais. Cada um de nós tem acesso a mais informação do que jamais poderíamos usar razoavelmente. Dizemos a nós mesmos que isso é parte do nosso trabalho, que precisamos estar "por dentro das coisas", e assim abrimos mão de um tempo precioso em prol de noticiários, relatórios, reuniões e outras formas de feedback. Mesmo que não estejamos grudados numa televisão, ainda estamos cercados por mexericos, dramas e outras distrações.

Precisamos parar com isso.

"Se queres melhorar", disse Epiteto certa vez, "contenta-te em parecer desinformado ou estúpido sobre assuntos supérfluos."

Napoleão se satisfazia em ficar atrasado com a correspondência, ainda que assim aborrecesse algumas pessoas ou perdesse alguns boatos, pois só dessa maneira problemas triviais seriam resolvidos sem ele. Precisamos cultivar uma atitude semelhante — dar às coisas um pouco de espaço, não consumir as notícias em tempo real, estar uma ou duas estações atrasado com a última tendência ou fenômeno cultural, não deixar sua caixa de entrada dominar sua vida.

As coisas importantes ainda serão importantes quando chegarem a você. As desimportantes terão deixado clara a própria insignificância (ou simplesmente desaparecerão). Então, com quietude em vez de urgência ou exaustão desnecessárias, você será capaz de se sentar e dedicar atenção *plena* ao que merece consideração.

Existe ego em tentar manter-se a par de tudo, quer seja um aclamado programa de televisão, o mais novo boato da indústria, o comentário superficial mais sagaz ou a crise mais recente do [Oriente Médio, África, Ásia, o clima, o Banco Mundial, a reunião de cúpula da OTAN, ad infinitum]. O ego está em tentar parecer a pessoa mais bem informada do grupo, aquela que conhece todas as fofocas, que sabe tudo que está acontecendo na vida de todo mundo.

Isso não só onera a nossa paz de espírito, mas há um sério custo de oportunidade também. Se fôssemos mais tranquilos, mais confiantes, tivéssemos uma visão de longo prazo maior, a qual assunto verdadeiramente significativo poderíamos dedicar nossa energia mental?

Em seu diário em 1942, Dorothy Day, a freira católica e ativista social, deu a si mesma mais ou menos esse mesmo conselho. "Desligue seu rádio", escreveu ela, "guarde seu jornal. Leia um apanhado dos acontecimentos e passe o tempo lendo." *Livros*, passe o tempo lendo livros — foi isso que ela quis dizer. Livros cheios de sabedoria.

Embora isso também possa ser feito com exagero.

Os versos de John Ferriar:

Que desejos desbragados, que tormentos inquietos se apoderam
Do pobre infeliz que sente a doença dos livros.

O problema é a grande dificuldade de pensar ou agir com clareza (para não falar de ser feliz) quando estamos nos afogando em informação. É por isso que os advogados tentam soterrar o adversário em papéis. É por isso que agentes de informação inundam os inimigos com propaganda, para que percam o rastro da verdade. Não é por coincidência que a meta dessas táticas seja informalmente chamada de *paralisia por análise*.

No entanto, fazemos isso com nós mesmos!

Um século e meio depois de Napoleão, outro grande general e futuro chefe de Estado, Dwight D. Eisenhower, esforçava-se para controlar a torrente de fatos e ficção que era jogada sobre ele. Sua solução foi a estrita adesão à cadeia de comando quando se tratava de informação. Ninguém deveria lhe entregar uma correspondência não aberta, ninguém deveria jogar para ele problemas explorados pela metade. Coisas demais dependiam da quietude interior da qual ele precisava para trabalhar, não era possível permitir que essas informações acidentais fluíssem. Uma de suas inovações foi organizar informações e problemas no que agora é chamado de "Matriz de Eisenhower", uma estratégia que ordena nossas prioridades de acordo com a urgência e a importância.

Muito do que estava acontecendo no mundo ou no trabalho, Eisenhower descobriu, era urgente, mas sem importância. Enquanto isso, a maior parte do que era de fato importante não era nem remotamente urgente. Categorizar os estímulos ajudava-o a organizar sua equipe em torno do que era importante versus o que *parecia* urgente, permitia que eles fossem estratégicos em vez de reativos, aprofundando-se mil metros naquilo que importava em vez de um centímetro em coisas demais.

De fato, a primeira coisa que os grandes chefes de gabinete fazem — quer seja para um general, um presidente ou o CEO de um banco — é limitar a quantidade de pessoas que têm acesso ao líder. Eles se tornam porteiros: nada de visitas casuais, fofocas e relatórios erráticos. Para que o líder possa ver o quadro geral. Para que tenha tempo e espaço para pensar.

Porque se o líder não fizer isso, bem, então ninguém mais vai fazer.

Em suas *Meditações*, Marco Aurélio diz: "Pergunte a ti mesmo a cada momento: 'Isto é necessário?'"

Saber sobre o que não pensar. O que ignorar e o que não fazer. Essa é a sua primeira e mais importante tarefa.

Thich Nhat Hanh explica:

> Antes que possamos fazer mudanças profundas em nossa vida, temos de olhar para nossa dieta, nossa maneira de consumir. Temos de viver de tal maneira que paremos de consumir as coisas que nos envenenam e intoxicam. Só então teremos a força para permitir que o melhor em nós venha à tona e não seremos mais vítimas da raiva e da frustração.

Isso é tão verdadeiro em relação à comida quanto em relação à informação.

Há uma excelente expressão da área de TI que diz: *lixo entra, lixo sai*. Se você quer um bom resultado, tem de ser cuidadoso com os estímulos.

Será necessário ter disciplina. Não será fácil.

Isso significa menos alertas e notificações. Significa bloquear a chegada de mensagens com a função Não Perturbe e direcionar e-mails para subpastas. Significa questionar essa política de "porta aberta", ou mesmo *onde você mora*. Significa afastar pessoas egoístas que trazem dramas desnecessários para nossas vidas. Significa estudar o mundo mais *filosoficamente* — isto é, com uma perspectiva de longo prazo — em vez de acompanhar os acontecimentos segundo por segundo.

A maneira como você se sente quando acorda de manhã cedo, com a mente fresca e ainda não maculada pelo ruído do mundo exterior — esse é um espaço que vale a pena proteger. Assim como a zona que você adentra quando está trabalhando realmente bem. Não permita que nenhuma intromissão o arranque dela. Erga barreiras. Crie um escoadouro adequado para encaminhar para as pessoas certas o que for urgente e o que não for.

Walker Percy, um dos últimos grandes romancistas do Sul, tem uma passagem poderosa em *Lancelot*, baseada em sua própria luta com a ociosidade e o vício em diversões. No livro, o atormentado narrador sai de sua mansão no Mississippi e, pela primeira vez em anos, simplesmente para. Sai de sua bolha e vivencia o momento. "Pode um homem ficar parado sozinho, nu e à vontade, o pulso flexionado a seu lado como o *David* de Michelangelo, sem ajuda, sem distração... em silêncio?"

Sim, era possível ficar parado. Nada aconteceu. Pus-me a escutar. Não havia nenhum som: nenhum barco no rio, nenhum caminhão na estrada, nem mesmo cigarras. E se eu não ouvisse as notícias? Não ouvi. Nada aconteceu. Dei-me conta de que tinha estado com medo do silêncio.

É nessa quietude que podemos estar presentes e finalmente ver a verdade. É nessa quietude que podemos ouvir a voz dentro de nós.
Como o mundo seria diferente se as pessoas passassem tanto tempo ouvindo sua consciência quanto passam ouvindo a tagarelice de programas? Se pudessem responder aos apelos de suas convicções tão rápido quanto respondemos aos tinidos e toques da tecnologia em nosso bolso?
Todo esse ruído. Toda essa informação. Todos esses estímulos.
Temos medo do silêncio. Temos medo de parecer estúpidos. Temos medo de deixar algo passar. Temos medo de ser o malvado que diz: "Não, não estou interessado."
Preferimos nos tornar infelizes a fazer de nós mesmos uma prioridade, a ser nosso melhor eu.
A estar quietos... e no controle de nossa própria dieta de informação.

ESVAZIE A MENTE

Tornar-se vazio é tornar-se um só com o divino — esse é o Caminho.

— AWA KENZO

Shawn Green começou sua terceira temporada com o Dodgers de Los Angeles em 2002 na pior fase de sua carreira na Major League Baseball, a principal liga de beisebol profissional americana. A imprensa estava furiosa, assim como os fãs, que o vaiavam na base. A direção do Dodgers começou a duvidar dele também. O homem ganhava 14 milhões de dólares por ano e não conseguia rebater.

Após *semanas* de intensa escassez de rebatidas, seria ele mandado para o banco de reservas? Trocado? Rebaixado para a segunda divisão?

Tudo isso passava pela mente de Green, como passa pela mente de qualquer pessoa que enfrenta dificuldades no trabalho. Aquela pequena voz que diz: *Qual é o seu problema? Por que não consegue fazer isso direito? Perdeu o jeito?*

Rebater uma bola de beisebol já é uma proeza quase inconcebível. Requer que o atleta veja, processe, decida, faça o movimento com o taco e se conecte com uma bola minúscula que viaja a cerca de 150 quilômetros por hora vinda de uma posição elevada a dezoito metros de distância. *Quatrocentos milissegundos*. Esse é o tempo que a bola leva para viajar do monte do arremessador até o rebatedor. Ser capaz de fazer o movimento com o taco e rebater desafia a física — umas das maiores façanhas entre todos os esportes.

A ansiedade e as dúvidas numa fase ruim dificultam ainda mais. O famoso jogador "Yogi" Berra já alertou: "É impossível rebater e pensar ao mesmo tempo."

Para Green, quanto mais tempo ele passava sem uma rebatida, menor parecia a bola. Mas foi no budismo, que ele praticava havia muito tempo, que Shawn se apoiou para impedir que esse círculo vicioso destruísse sua carreira. Em vez de ceder aos pensamentos agitados — em vez de se esforçar cada vez mais —, ele procurou limpar a mente por inteiro. Em vez de combater a fase ruim, tentaria não pensar nela de maneira alguma.

Parece loucura, mas não é. "O homem é um caniço pensante", disse certa vez D.T. Suzuki, um dos primeiros divulgadores do budismo no Ocidente. "Mas suas maiores obras são feitas quando ele não está calculando e pensando. A criança interior tem de ser restaurada com longos anos de treinamento na arte do autoesquecimento. Quando isso é alcançado, o homem pensa, contudo não pensa."

O caminho para sair da fase ruim não era consultar especialistas ou reformular seu movimento de rebatida. Shawn Green sabia que, antes de mais nada, tinha de se livrar dos pensamentos tóxicos que haviam acabado com seu jogo — a preocupação com o contrato milionário suas expectativas para a temporada, o estresse em casa ou as críticas na imprensa.

Ele precisava expulsar tudo isso da própria mente. Tinha de deixar seu treinamento assumir o controle.

Em 23 de maio de 2002, foi exatamente isso que Green tentou fazer. Era o jogo de desempate numa série contra o Brewers. O Dodgers tinha conseguido obter uma vitória por 1 a 0 na noite anterior, e perdido uma noite antes. As rebatidas do próprio Green foram esporádicas e desanimadoras. Assim, quando ele chegou ao estádio naquela manhã, empenhou-se em criar um novo começo. Primeiro no espaço dos rebatedores e depois no suporte de bolas para treino, ele lenta, paciente e calmamente buscou deixar a mente limpa. A cada simulação de rebatida, tentava se concentrar na mecânica, no posicionamento dos pés, de fato se firmando onde seus pés estavam — sem pensar no passado, sem se preocupar com o futuro, alheio aos fãs e ao modo como iria rebater a bola. Ele realmente não estava pensando em nada. Em vez disso, repetia para si mesmo um antigo provérbio zen: *Corte lenha, carregue água. Corte lenha, carregue água. Corte lenha, carregue água.*

Não analise demais. Faça o trabalho.

Não pense. *Rebata.*

Na primeira oportunidade com o taco nesse dia, Green sofreu dois *strikes* nos dois primeiros arremessos. Sua mente se agitou um pouco — *Será que essa fase ruim vai continuar, será que isso algum dia terá fim, por que não consigo acertar?* —, mas ele deixou esses pensamentos descontrolados se dissiparem e esperou a poeira baixar. Inspirou, esvaziou sua mente de novo — deixou-a tão vazia quanto os assentos do estádio durante seu ritual antes do jogo.

Em seguida voltou ao trabalho. No terceiro arremesso: *CRAC!* Uma rebatida dupla na linha da direita do campo.

No segundo tempo, Green recebeu uma bola rápida. Ele firmou o pé da frente e se concentrou somente nisso, na sensação de estar firme no chão. Observou o arremesso e rebateu. A bola logo estava voltando para a outra direção, por cima do muro direito. Três corridas a acompanharam. No quarto tempo, ele acertou mais um *home run* na passarela sobre a parte direita do campo central. No quinto tempo acertou outro *home run* no fundo do campo esquerdo. O campo oposto, um sinal de que um rebatedor está realmente começando a entrar no jogo. No oitavo tempo, conseguiu uma rebatida simples.

A fase ruim não existia mais.

Cinco rebatidas em cinco passagens pelo taco, e o treinador quis tirá-lo de campo. Green pediu outra oportunidade.

Agora sua mente estava tentada a correr numa direção diferente, seu cérebro cheio de orgulho em vez de dúvidas. *Você está mandando ver. Isso é muito emocionante, não é? Vamos conseguir outra rebatida? Poderia bater um recorde!*

Assim como na fase ruim, a voz que surge numa sequência de vitórias vira um *looping* mental acelerado e igualmente nocivo. As duas atrapalham. Ambas dificultam ainda mais o que já é difícil.

Quando entrou no espaço do rebatedor pela sexta vez no último tempo, Shawn Green disse a si mesmo: "Não faz sentido pensar agora." Ele esvaziou a mente e se divertiu como uma criança no jogo da liga infantil.

Nenhuma pressão. Apenas presença. Simplesmente feliz por estar ali.

No terceiro arremesso, veio uma bola com efeito que desceu e foi para dentro, abaixo do nível do joelho. Para canhotos, como Green, quando estão numa fase ruim, essa zona é como um buraco negro. Quando estão focados, é um ponto certeiro. Green buscou foco — uma rebatida que até um dos treinadores disse que pareceu acontecer em câmera lenta. Cada parte do rebatedor estava atrás do taco, mental e fisicamente — e a bola foi lançada muito profundamente na parte direita do campo central. Foi uma rebatida antológica. A bola bateu no alto do muro traseiro do estádio e quicou de volta no campo.

Enquanto os colegas de time iam à loucura no banco, Green mantinha a cabeça baixa, contornando as bases com o mesmo trote calmo e decidido de seus três *home runs* anteriores. Pela falta de comemoração, ninguém diria que naquele momento ele era apenas o décimo quarto jogador na história a acertar quatro *home runs* num único jogo. Seis rebatidas em seis passagens pelo taco, com dezenove bases totais e sete corridas impulsionadas, talvez o maior desempenho num mesmo jogo de beisebol. Toda a multidão de 26.728 pessoas — numa partida fora de casa — se levantou para ovacioná-lo. Mas Green já estava esvaziando tudo isso de sua mente e voltando à rotina. Ele tirou as luvas de rebatedor e varreu a experiência de sua mente, mantendo-a vazia para usar no próximo jogo.*

Shawn Green certamente não foi o primeiro jogador de beisebol budista. Sadaharu Oh, o maior recordista de *home runs* na história do esporte, também era. O objetivo do zen,

---

* Nos dois jogos seguintes, Green acertaria mais três *home runs*. Teve 11 por 13 em três jogos com sete *home runs*. No último *home run* ele quebrou o taco, que se encontra agora no Hall da Fama do Baseball.

seu mestre lhe ensinou, era "alcançar um vazio (...) um vazio silencioso, incolor, sem calor" — chegar a esse estado de vazio, fosse no monte, no espaço do rebatedor ou no treino.

Antes disso, Chuang-Tzu, o filósofo chinês, afirmou: "O *tao* está no vazio. O vazio é o jejum da mente." Marco Aurélio escreveu certa vez sobre "ficar livre de impressões que se agarram à mente, livre do futuro e do passado" para tornar-se a "esfera que se alegra em sua perfeita quietude". Mas, se você visse essas palavras no primeiro parágrafo da matéria sobre o jogo entre o Dodgers e o Brewers no *Los Angeles Times* no dia seguinte, elas teriam feito perfeito sentido. Epiteto, o precursor de Marco na filosofia, de fato se referia aos esportes quando disse: "Se ficarmos ansiosos ou nervosos quando apanhamos ou arremessamos, o que será do jogo, e como poderemos manter o autocontrole; como poderemos ver o que vem em seguida?"

É uma verdade no esporte, tanto quanto na vida.

Claro, pensar é essencial. O conhecimento especializado é sem dúvida decisivo para o sucesso de qualquer líder, atleta ou artista. O problema é que, irrefletidamente, nós pensamos demais. As "palavras descontroladas e rodopiantes" de nosso subconsciente se põem em marcha, e, de repente, nosso treinamento (ou qualquer outra coisa) perde o espaço. Somos sobrecarregados, oprimidos e distraídos... por nossa própria mente!

Mas, se conseguirmos reabrir um espaço, se pudermos esvaziar nossa mente de modo consciente como Green fez, descobertas e grandes avanços acontecem. O movimento perfeito do taco conecta-se perfeitamente com a bola.

Há um belo paradoxo nessa ideia de *vazio*.

O *Tao Te Ching* mostra que, quando a argila ganha formato em torno do vazio, ela se torna um jarro capaz de conter água. A água do jarro é derramada numa xícara, que por sua vez foi moldada em torno do vazio. A sala em que tudo isso acontece consiste ela própria em quatro paredes erguidas ao redor do vazio.

Está vendo? Ao confiar no que não está ali, nós temos realmente algo que vale a pena usar. Durante a gravação de seu álbum *Interiors*, a cantora Rosanne Cash afixou um cartaz simples sobre o vão da porta do estúdio: "Abandonai O Pensamento, Todos Vós Que Entrais Aqui." Não porque ela quisesse um bando de idiotas irreflexivos trabalhando com ela, mas porque queria que todos os envolvidos — inclusive ela mesma — fossem mais fundo do que aquilo que estivesse na superfície de suas mentes. Queria que eles estivessem presentes, conectados com a música, e não perdidos em suas cabeças.

Imagine se Kennedy tivesse passado a Crise dos Mísseis de Cuba obcecado com a baía dos Porcos. Imagine se Shawn Green tivesse tentado freneticamente recriar seu movimento de rebatida porque não estava funcionando, ou se tivesse enfrentado aqueles arremessadores com uma mente acelerada, cheia de insegurança e desespero. Todos nós já passamos por isso — *Não estrague tudo. Não estrague tudo. Não se esqueça*, dizemos para nós mesmos —, e o que acontece? Fazemos exatamente o que estamos tentando *não* fazer!

Seja lá o que você enfrente ou o que esteja fazendo, vai exigir que, em primeiro lugar, você não derrote a si mesmo. Que não dificulte as coisas pensando demais, tendo dúvidas desnecessárias ou imaginando o que devia ter feito.

Esse espaço entre as suas orelhas: é seu. Você não tem apenas de controlar o que entra, também deve controlar o que acontece aí *dentro*. Precisa protegê-lo de você mesmo, de seus próprios pensamentos. Não à força, mas com uma espécie de varredura cuidadosa e persistente. Seja o bibliotecário que diz "Shhh!" para as crianças arruaceiras ou que pede ao idiota falando ao celular para, por favor, ir conversar lá fora.

Porque a mente é um lugar importante e sagrado.

Mantenha-a limpa e desobstruída.

DESACELERE, PENSE PROFUNDAMENTE

Com meu olho que vê, enxergo o que está diante de mim; com meu olho que não vê, enxergo o que está escondido.

— Alice Walker

Na abertura da amada série infantil *Mister Rogers' Neighborhood*, a primeira tomada interna não mostra o apresentador. Em vez disso, logo antes que Fred Rogers surja na tela cantando sua alegre canção sobre ser um bom vizinho, os espectadores veem um semáforo, piscando amarelo.

Por mais de trinta anos e por quase mil episódios, esse simbolismo sutil abria o programa. Se essa pista passou despercebida pela maioria das pessoas que assistiam, ainda assim elas captaram a mensagem. Porque quer Fred Rogers estivesse falando para a câmera, brincando na Vizinhança de Faz de Conta com o fantoche King Friday ou cantando uma de suas canções típicas, quase todos os quadros da série pareciam dizer: *Desacelere. Seja atencioso. Preste atenção.*

Durante a infância na Latrobe Elementary School, na Pensilvânia, Fred Rogers tinha sido vítima de bullying cruel. As crianças implicavam com ele por causa de seu peso e porque ele era sensível em relação a isso. Foi uma experiência horrível, mas essa dor estimulou seu trabalho inovador na televisão pública. "Iniciei uma busca, que duraria por toda a minha vida, pelo que é essencial", disse ele sobre sua infância, "pela parte das pessoas que não está à vista." Ele até emoldurou uma reprodução dessa ideia na parede de seu estúdio em Pittsburgh, um fragmento de uma de suas citações favoritas: *L'essentiel est invisible pour les yeux.*

O essencial é invisível aos olhos.

Isto é: as aparências enganam. As primeiras impressões também. Somos perturbados e enganados pelo que está na superfície, pelo que os outros veem. Então tomamos decisões ruins, perdemos oportunidades ou nos sentimos assustados ou aborrecidos. Sobretudo quando não desaceleramos para ter tempo de realmente enxergar.

Pense em Khruschov do outro lado da Crise dos Mísseis de Cuba. O que provocou sua inacreditável tentativa de ir longe demais? Uma análise errônea da coragem de seu adversário. A pressa de agir. Ideias equivocadas de como suas próprias ações seriam interpretadas no cenário mundial. Foi um erro de cálculo quase fatal, como a maioria dos gestos precipitados.

Epiteto explicou como a tarefa de um filósofo é reunir nossas impressões — o que vemos, ouvimos e pensamos — e pô-las à prova. Ele disse que precisávamos deter nossos pensamentos e examiná-los, para nos certificarmos de que não estávamos sendo levados pelas aparências e deixando escapar o que não podia ser visto a olho nu.

De fato, é no estoicismo, no budismo e em inúmeras outras escolas que encontramos a mesma analogia: o mundo é como a água turva. Para ver através dela, temos de deixar as impurezas assentarem. Não podemos ser perturbados por aparências iniciais, e, se formos pacientes e calmos, a verdade nos será revelada.

Era isso que Mr. Rogers ensinava as crianças a fazer — iniciar um hábito essencial o mais cedo possível em suas vidas. Em inúmeros episódios, Rogers escolhia um tema — autoestima, como eram feitos os lápis de cor, divórcio ou diversão — e guiava seus jovens espectadores através do que realmente estava acontecendo e do que isso significava. Ele parecia saber naturalmente como a mente de uma criança processaria a informação e as ajudava a esclarecer as confusões ou os medos compreensíveis. Ensinava empatia e habilidades fundamentais de raciocínio. Assegurava seus espectadores de que eles poderiam resolver quase qualquer coisa se dedicassem tempo e empenho — com ele, juntos.

Ele compartilhava essa mensagem com adultos também. "Apenas pense", escreveu Rogers certa vez a um amigo que passava por um momento difícil. "Só fique em silêncio e pense. Isso vai fazer toda a diferença no mundo."

Há, na superfície, uma contradição aqui. Por um lado, o budismo diz que devemos esvaziar nossa mente para estar inteiramente presentes. Nunca conseguiremos fazer nada se estivermos paralisados pelo excesso de pensamentos. Por outro lado, devemos olhar, refletir e estudar profundamente se quisermos *saber* de verdade (e se quisermos evitar cair nos padrões destrutivos que prejudicam tantas pessoas).

Contudo, isso não é uma contradição de maneira alguma. É apenas a vida.

Precisamos aperfeiçoar a arte de pensar, de maneira deliberada e intencional, sobre as grandes questões. Sobre as coisas complicadas. A compreender o que realmente está acontecendo com uma pessoa, uma situação ou com a própria vida.

Temos de fazer o tipo de reflexão que 99% das pessoas simplesmente não fazem e precisamos eliminar o tipo destrutivo de reflexão que elas passam 99% do tempo fazendo.

O mestre zen Hakuin, do século XVIII, era extremamente crítico com professores que acreditavam que a iluminação era uma mera questão de não pensar *nada*. Em vez disso, ele queria que seus alunos pensassem muito, muito arduamente. É por isso que lhes dava *kōans* desconcertantes como "Qual é o som de uma mão batendo palmas?" e "Qual era a aparência de seu rosto antes de você nascer?" e "O cão tem a natureza de Buda?".

Perguntas assim desafiam as respostas fáceis, e esse é o objetivo. Dedicando tempo a meditar profundamente sobre elas, em alguns casos por dias e semanas ou até anos, os alunos deixam a mente num estado de tamanha clareza que verdades mais profundas emergem, e a iluminação começa (e, mesmo que não cheguem até lá, eles ficam mais fortes por terem tentado).

"De repente", Hakuin prometia a seus alunos, "de forma inesperada seus dentes afundam. Seu corpo sua frio até se encharcar. Naquele instante, tudo fica claro." A palavra para isso era *satori* — um insight esclarecedor quando o inescrutável é revelado, quando uma verdade essencial se torna óbvia e inescapável.

Todos nós não nos beneficiaríamos de um pouquinho mais disso?

Bem, ninguém alcança a *satori* indo a mil por hora. Ninguém chega lá concentrando-se no que é óbvio ou aderindo ao primeiro pensamento que lhe vem à cabeça. Para enxergar o que importa, é preciso olhar de verdade. Para compreendê-lo, é preciso pensar de verdade. É necessário um esforço verdadeiro para entender o que é invisível para quase todo mundo.

Isso não será vantajoso apenas para sua carreira e seu negócio, mas o ajudará também a encontrar paz e conforto.

Há outro grande insight de Fred Rogers, que viraliza toda vez que ocorre uma tragédia indescritível. "Sempre procure por quem ajuda", explicava ele para seus espectadores assustados ou desiludidos com as notícias. "Há sempre alguém que está tentando ajudar (...) O mundo está cheio de médicos e enfermeiros, policiais e bombeiros, voluntários, vizinhos e amigos que estão prontos para ajudar quando algo vai mal."

Não se engane, isso não era um reconforto superficial. Rogers, baseando-se nos conselhos da própria mãe quando ele era criança, tinha conseguido encontrar consolo e bondade durante um acontecimento que causaria somente dor, raiva e medo em outras pessoas. E descobriu como transmitir isso de uma maneira que continua a tornar o mundo um lugar melhor mesmo muito depois de sua morte.

Grande parte do sofrimento que sentimos vem de reagir de forma instintiva em vez de agir com deliberação cuidadosa. Grande parte do que fazemos equivocadamente vem da mesma fonte. Estamos reagindo a sombras. Tomamos como certezas impressões que ainda temos de testar. Não estamos parando para pôr nossos óculos e realmente *olhar*.

Sua tarefa, depois que tiver esvaziado sua mente, é desacelerar e pensar. Pensar de verdade, com frequência.

... Pense sobre o que é importante para você.
... Pense sobre o que realmente está acontecendo.
... Pense sobre o que poderia estar oculto.
... Pense sobre como está o resto do tabuleiro de xadrez.
... Pense sobre qual é o verdadeiro significado da vida.

A coreógrafa Twyla Tharp fornece um exercício para seguirmos:

> Sente-se sozinho num cômodo e deixe seus pensamentos irem para onde quiserem. Faça isso por um minuto (...) Pratique até dez minutos diários dessa divagação mental sem sentido. Depois comece a prestar atenção em seus pensamentos para ver se uma palavra ou meta se materializa. Se isso não acontecer, estenda o exercício para onze minutos, depois doze, depois treze (...) até que você encontre a duração de que precisa para assegurar que algo interessante virá à mente. A expressão gaélica para esse estado de espírito é "quietude sem solidão".

Se dedicar tempo e energia mental, você não vai descobrir apenas o que é interessante (ou seu próprio projeto criativo), descobrirá também a verdade. Descobrirá o que os outros deixaram escapar. Encontrará soluções para os problemas humanos — quer seja entender a lógica dos soviéticos e seus mísseis em Cuba, como fazer seu negócio prosperar ou como dar um sentido à violência sem sentido.

Essas são respostas que devem ser pescadas das profundezas. E o que é pescar se não desacelerar? Ficar ao mesmo tempo relaxado e extremamente sintonizado com o ambiente ao redor? E em última análise, fisgar o que se encontra sob a superfície e puxá-lo?

MANTENHA UM DIÁRIO

Mantenha um caderno. Viaje com ele, coma com ele, durma com ele. Insira nele cada pensamento solto que esvoaçar até o seu cérebro.

— Jack London

Em seu décimo terceiro aniversário, uma menina precoce, que era refugiada alemã, chamada Anne Frank ganhou de seus pais um pequeno "livro de autógrafos" vermelho e branco. Embora as páginas se destinassem a colecionar as assinaturas e lembranças de amigos, ela soube desde o instante em que o viu pela primeira vez na vitrine de uma loja que o usaria como diário. Conforme escreveu em sua primeira anotação em 12 de junho de 1942: "Espero que eu seja capaz de confiar tudo a você, como nunca pude confiar a ninguém, e espero que você seja uma grande fonte de consolo e apoio."

Ninguém poderia ter previsto de quanto consolo e apoio ela precisaria. Vinte e quatro dias depois dessa primeira anotação, Anne e sua família judia foram obrigadas a se esconder no sótão apertado do depósito de seu pai em Amsterdã. Seria ali que passariam os dois anos seguintes, na esperança de que os nazistas não os descobrissem.

Anne Frank tinha desejado um diário por razões compreensíveis. Ela era adolescente. Tinha se sentido solitária, assustada e entediada antes, mas agora estava confinada num conjunto de cômodos apertados e sufocantes, com seis outras pessoas. Era tudo tão opressivo, tão injusto e desconhecido. Ela precisava de algum lugar onde despejar esses sentimentos.

Segundo seu pai, Otto, Anne não escrevia todos os dias, mas sempre escrevia quando estava contrariada ou lidando com um problema. Ela também escrevia quando estava confusa ou curiosa. Anotava nesse diário como uma forma de terapia, de modo a não descarregar seus pensamentos atormentados na família e nos compatriotas com quem compartilhava condições tão desagradáveis. Uma de suas melhores e mais perspicazes frases deve ter surgido num dia particularmente difícil. "O papel", disse ela, "tem mais paciência do que as pessoas."

Anne usava seu diário para refletir. "Como todos seriam nobres e bons", escreveu ela, "se no fim do dia reexaminassem seu próprio comportamento e ponderassem os acertos e erros. Iriam automaticamente tentar fazer melhor no começo de cada novo dia, e após algum tempo certamente realizariam muita coisa." Ela observou que a escrita lhe permitia observar a si mesma como se fosse uma desconhecida. Num momento em que hormônios geralmente tornam os adolescentes mais egoístas, ela revisava regularmente seus escritos para desafiar e melhorar os próprios pensamentos. Mesmo com a morte à espreita do outro lado da porta, ela se empenhava para se tornar uma pessoa melhor.

A lista de pessoas, antigas e modernas, que praticaram a arte de escrever diários é quase comicamente longa e fascinantemente diversificada. Entre elas: Oscar Wilde, Susan Sontag, Marco Aurélio, rainha Vitória, John Quincy Adams, Ralph Waldo Emerson, Virginia Woolf, Joan Didion, Shawn Green, Mary Chesnut, Brian Koppelman, Anaïs Nin, Franz Kafka, Martina Navratilova e Benjamin Franklin.

Todos mantinham um diário.

Alguns escreviam de manhã. Outros o faziam esporadicamente. Alguns, como Leonardo da Vinci, carregavam seus cadernos consigo o tempo todo. John F. Kennedy manteve um diário durante suas viagens antes da Segunda Guerra Mundial, e depois, como presidente, surgiu o hábito de tomar notas e rabiscar pequenos desenhos (o que, segundo alguns estudos, é bom para a memória) nos papéis de carta da Casa Branca, tanto para elucidar seu pensamento quanto para manter um registro deles.

Obviamente esta é uma lista intimidante de indivíduos. Mas Anne Frank escreveu dos treze aos quinze anos. Se ela conseguiu, qual é a nossa desculpa?

Sêneca, o filósofo estoico, parecia fazer sua escrita e reflexão à noite, mais ou menos como a prática de Anne Frank. Após o anoitecer, com sua mulher dormindo, explicou ele a um amigo: "Examino todo o meu dia e retorno ao que fiz e disse, sem esconder nada de mim mesmo, sem ignorar nada." Depois ia para a cama, descobrindo que "o sono que se segue a esse autoexame" era particularmente doce. Qualquer pessoa que o leia hoje pode senti-lo tentando alcançar a quietude nesses escritos noturnos.

Michel Foucault falou sobre o antigo gênero da *hupomnemata* (anotações para si mesmo). Ele chamou o diário de "uma arma para o combate espiritual", uma maneira de praticar filosofia e expurgar da alma a agitação, a estupidez e de superar dificuldades. De silenciarmos os cães que ladram em nossa cabeça. De nos prepararmos para o dia que temos pela frente. De refletirmos sobre o dia que passou. Tome notas das ideias que ouviu. Gaste um tempo sentindo a sabedoria fluir pela ponta dos seus dedos até a página.

É assim que são os melhores diários. Eles não são para o leitor. São para o *escritor*. Para desacelerar a mente. Para fazer as pazes consigo mesmo.

Manter um diário é uma maneira de fazer perguntas difíceis: em que estou me atrapalhando? Qual é o menor passo que posso dar hoje rumo a algo grandioso? Por que estou tão nervoso com isso? Quais bênçãos posso contar agora mesmo? Por que me importo tanto em impressionar as pessoas? Qual é a escolha mais difícil que estou evitando? Eu domino meus medos, ou eles me dominam? De que modo as dificuldades de hoje revelarão o meu caráter?

Além do grande número de pessoas que alega, por experiência própria, que manter diários traz benefícios, as pesquisas também dão bons motivos. Segundo um estudo, manter diários ajuda a melhorar o bem-estar após acontecimentos traumáticos e estressantes. Da mesma maneira, um estudo da Universidade do Arizona mostrou que as pessoas mais capazes de se recuperar de um divórcio e seguir adiante eram aquelas que registravam a experiência num diário. Esse tipo de escrita é uma recomendação comum entre psicólogos, porque ajuda os pacientes a frear suas obsessões e a compreender os diversos estímulos — emocionais, externos, psicológicos — pelos quais, caso contrário, seriam sobrecarregados.

Essa é realmente a intenção. Em vez de carregar essa bagagem de um lado para outro em nossa mente ou corações, nós a depositamos no papel. Em vez de permitir que os pensamentos corram sem controle ou de não questionar suposições imaturas, nós nos forçamos a escrevê-los e examiná-los. Pôr seu raciocínio no papel nos oferece distanciamento. Permite objetividade, quase sempre ausente quando a mente é dominada por ansiedade, medos e frustrações.

Qual é a melhor maneira de começar a escrever um diário? Há um período ideal do dia? Quanto tempo isso deve tomar?

Quem se importa?

Como você escreve seu diário é algo muito menos importante do que a *razão* para mantê-lo: botar alguma coisa para fora. Ter um momento sossegado com seus pensamentos. Elucidar esses pensamentos. Discernir o prejudicial daquilo que é inspirador.

Não há maneira certa ou errada. O que importa é *apenas fazê-lo*.

Se você começou antes e não prosseguiu, comece de novo. Perder o ritmo é normal. O que importa é construir o espaço novamente, *hoje*. O pintor francês Eugène Delacroix — que chamava o estoicismo de sua religião consoladora — tinha as mesmas dificuldades que nós temos.

Estou retomando meu Diário novamente após uma longa interrupção. Penso que ele pode ser uma maneira de acalmar esse nervosismo que tem me afligido há tanto tempo.

Sim!

É disso que se trata escrever diários. Eles são como limpadores de para-brisas para nossa alma, como disse certa vez a escritora Julia Cameron. São alguns minutos de reflexão que exigem e criam quietude ao mesmo tempo. É uma ruptura com o mundo. Um referencial para o dia à frente. Um mecanismo para enfrentar os problemas das horas anteriores. Um modo de revigorar sua energia criativa, relaxar e desanuviar.

Uma, duas, três vezes ao dia. Tanto faz. Descubra o que funciona melhor para você.

E tenha em mente que essa talvez seja a coisa mais importante que fará o dia todo.

CULTIVE O SILÊNCIO

Todas as coisas profundas, e as emoções das coisas, são precedidas e acompanhadas pelo Silêncio (...) O Silêncio é a consagração geral do universo.

— Herman Melville

A fascinação pelo silêncio começou cedo na vida do compositor John Cage. Em 1928, numa competição de discursos para a Los Angeles High School, ele tentou convencer seus colegas estudantes e os juízes de que os Estados Unidos deviam instituir um dia nacional do silêncio. Observando o silêncio, disse ele à audiência, eles finalmente seriam capazes de "ouvir o que os outros pensam".

Foi o início de uma vida inteira de exploração e experimentação a respeito do que significa ficar calado e das oportunidades para ouvir o que esse silêncio disciplinado cria.

Cage perambulou depois do ensino médio. Percorreu a Europa. Estudou pintura. Ensinou música. Compôs música clássica. Era um ávido observador. Nascido em 1912 na Califórnia, tinha justamente idade suficiente para se lembrar como era a vida pré-mecanização, e quando o século se tornou moderno — e a tecnologia transformou todas as indústrias e ocupações — começou a notar como tudo se tornara barulhento.

"Onde quer que estejamos, o que ouvimos na maior parte do tempo é ruído", dizia ele. "Quando o ignoramos, ele nos perturba. Quando o escutamos, nós o achamos fascinante."

Para Cage, o silêncio não era necessariamente a ausência de todo som. Ele gostava do som de um caminhão a oitenta quilômetros por hora. Estática no rádio. O zumbido de um amplificador. O som de água caindo na água. Acima de tudo, ele gostava dos sons que eram perdidos ou soterrados por nossas vidas barulhentas.

Em 1951, Cage visitou uma câmara anecoica, a mais avançada sala à prova de som do mundo na época. Mesmo ali, com seu ouvido extremamente sensível de músico, escutou sons. Dois, na verdade, um agudo e um grave. Falando com o engenheiro ao final, ficou assombrado ao descobrir que a fonte desses sons eram seu próprio sistema nervoso e o bombeamento de seu sangue.

Quantos de nós nem sequer chegamos perto desse tipo de silêncio? Reduzir o ruído e a trepidação à nossa volta a ponto de literalmente ouvir o som da própria vida? Dá para imaginar? Tudo que pode ser *feito* com tanto silêncio!

Foi uma reação contra o ruído desnecessário que inspirou a famosa criação de Cage, 4'33", originalmente concebida com o título *Prece silenciosa*. Cage queria criar uma canção idêntica à música popular da época — ela teria a mesma duração e seria tocada ao vivo e no rádio como todas as outras canções. A única diferença era que 4'33" seria uma "peça de ininterrupto silêncio".

Algumas pessoas viram isso como uma piada absurda, uma paródia duchampiana do que constitui "música". Em certo sentido, era. (Cage pensou que seria divertido vender a "canção" para a companhia Muzak para ser tocada em elevadores.) Mas ela também foi inspirada por seu estudo, durante a vida inteira, da filosofia zen, focada na descoberta da plenitude no vazio. As instruções de execução para a canção são elas próprias uma bela contradição: "Numa situação com amplificação máxima, executar uma ação disciplinada."

Na verdade, 4'33" nunca teve a ver com a obtenção do silêncio perfeito — mas sim com o que acontece quando paramos de contribuir para o barulho. A canção foi executada pela primeira vez em Woodstock, Nova York, pelo pianista David Tudor.* "Silêncio é algo que não existe", disse Cage nessa primeira execução. "O que pensavam ser silêncio, porque não sabiam ouvir, estava cheio de sons acidentais. Foi possível ouvir o vento se agitando lá fora durante o primeiro movimento. Durante o segundo, gotas de chuva começaram a tamborilar no teto, e durante o terceiro as próprias pessoas fizeram todo tipo de sons interessantes enquanto falavam ou saíam."

Deram-nos duas orelhas e só uma boca por uma razão, observou o filósofo Zenão. O que você nota quando para e escuta pode fazer toda a diferença no mundo.

Uma parte muito grande de nossas vidas é definida pelo ruído. Fones de ouvido são colocados (ferramentas *que suprimem* o ruído para que possamos ouvir melhor... outro ruído). Telas ligadas. O silencioso ventre de metal de um avião jumbo, viajando a mil quilômetros por hora, está cheio de nada

---

* Em 2015 um talk show noturno gravou uma versão executada por um gato.

senão pessoas tentando evitar o silêncio. Elas preferem assistir aos mesmos filmes ruins repetidas vezes, ou ouvir alguma entrevista fútil com uma celebridade irritante, a parar e absorver o que está acontecendo à sua volta. Preferem fechar sua mente a sentar-se ali e ter de usá-la.

"O pensamento não funcionará exceto em silêncio", disse Thomas Carlyle. Se quisermos pensar melhor, precisamos agarrar esses momentos de quietude. Se quisermos mais revelações — mais insights ou grandes avanços ou ideias novas e grandiosas —, temos de criar mais espaço para elas. Temos de nos afastar do conforto das distrações e dos estímulos barulhentos. Temos de começar a escutar.

No centro de Helsinque, há um pequeno prédio chamado Kamppi Chapel. Não é um lugar de culto, estritamente falando, mas é tão silencioso quanto uma catedral. Na verdade, mais silencioso, pois não há ecos. Não há órgãos. Não há portas enormes que rangem. Trata-se, de fato, de uma Igreja do Silêncio. Está aberta para qualquer pessoa que esteja interessada num momento de silenciosa espiritualidade numa cidade movimentada.

Você entra e só há silêncio.

Glorioso, sagrado. O tipo de silêncio que nos faz realmente começar a *ouvir*.

Randall Stutman, que por décadas tinha sido o conselheiro nos bastidores de muitos dos maiores CEOs e líderes em Wall Street, certa vez estudou de que modo várias centenas de executivos seniores de importantes corporações recarregavam as energias em seu tempo livre. As respostas foram coisas como velejar, pedalar longas distâncias, ouvir música clássica em silêncio, mergulhar, andar de motocicleta e pescar com iscas artificiais. Todas essas atividades, ele observou, tinham uma coisa em comum: *uma ausência de vozes.*

Eram pessoas com profissões movimentadas, cooperativas. Pessoas que tomavam inúmeras decisões que envolviam riscos sérios no curso de um dia. Mas em poucas horas sem conversa, sem outras pessoas em seu ouvido, em que podiam simplesmente pensar (ou não pensar), elas conseguiam recarregar as forças e encontrar paz. Podiam ficar quietas — mesmo que estivessem se movendo. Podiam finalmente ouvir, mesmo que sobre os sons de um rio caudaloso ou da música de Vivaldi.

Todos nós precisamos cultivar momentos assim em nossas vidas, nos quais limitamos nossos estímulos e abaixamos o volume de modo a atingir uma consciência mais profunda do que aquilo que está se passando à nossa volta. Parando de falar — mesmo que somente por um curto período —, podemos finalmente ouvir o que o mundo vinha tentando nos dizer. Ou o que vínhamos tentando dizer para nós mesmos.

O fato de o silêncio ser tão raro é um sinal do quanto é valioso. Agarre-o.

Não podemos ter medo do silêncio, pois ele tem muito a nos ensinar. Busque-o.

O tique-taque dos ponteiros do seu relógio está lhe dizendo que o tempo está passando para nunca mais voltar. Escute-o.

BUSQUE A SABEDORIA

A sabedoria imperturbável vale tudo.

— Demócrito

Na Grécia em 426 a.C., a sacerdotisa de Delfos respondeu a uma pergunta que lhe foi feita por um cidadão de Atenas: havia alguém mais sábio que Sócrates?
Sua resposta: Não.
A ideia de que Sócrates pudesse ser o mais sábio de todos foi uma surpresa, especialmente para Sócrates.
Ao contrário dos sábios tradicionais que conheciam muitas coisas, e ao contrário das pessoas pretensiosas que afirmavam conhecer muitas coisas, Sócrates era intelectualmente humilde. Na verdade, ele passou a maior parte da vida proclamando com sinceridade sua falta de sabedoria.
Contudo, era esse o segredo de seu brilhantismo, a razão pela qual se destacou ao longo de séculos como um modelo de sabedoria. Seiscentos anos após a morte de Sócrates, Diógenes Laércio escreveria que ele era tão sábio porque "não sabia nada exceto o fato de sua ignorância". Melhor ainda, ele tinha

consciência do que *não* sabia e estava sempre aberto a provas de que estava errado.

De fato, o cerne do que hoje chamamos de o método socrático vem do hábito verdadeiro e frequentemente irritante de Sócrates de andar por toda parte fazendo perguntas. Ele estava sempre sondando as opiniões dos outros. *Por que você pensa isso? Como você sabe? Que provas tem? Mas e quanto a isso ou àquilo?*

Essa busca de mente aberta pela verdade, pela *sabedoria*, era o que fazia de Sócrates o homem mais brilhante e desafiador de Atenas — tanto que mais tarde o mataram por isso.

Todas as escolas filosóficas pregam a necessidade de sabedoria. A palavra hebraica para sabedoria é חכמה (*chokmâh*); o termo correspondente no islã é *ḥikma*, e ambas as culturas acreditam que Deus é uma fonte inesgotável dela. A palavra grega para sabedoria era *sophia*, o que em latim tornou-se *sapientia* (e por essa razão o homem é chamado de *Homo sapiens*). Tanto os epicuristas quanto os estoicos consideravam *sophia* um princípio básico. Em sua visão, a sabedoria era obtida através da experiência e do estudo. Jesus aconselhou seus seguidores a ser tão sábios quanto as serpentes e tão inocentes quanto as pombas. Em Provérbios, 4:7, é dito que a aquisição de sabedoria é a coisa mais importante a que as pessoas podem se dedicar. Os budistas referem-se à sabedoria como *prajñā* e que ela representa a compreensão da verdadeira natureza da realidade. Confúcio e seus seguidores falavam constantemente do cultivo da sabedoria, dizendo que ela é alcançada da mesma maneira que um artesão desenvolve sua habilidade: dedicando tempo. O Xunzi foi mais explícito: "O aprendizado nunca pode cessar (...) A pessoa nobre que estuda amplamente e avalia a si todo dia se tornará lúcida em seu conhecimento e impecável em sua conduta."

Cada escola tem sua própria concepção da sabedoria, mas os mesmos temas aparecem em todas elas: a necessidade de fazer perguntas. A necessidade de estudar e refletir. A importância da modéstia intelectual. O poder que as experiências — principalmente fracassos e erros — têm de abrir nossos olhos para a *verdade* e a *compreensão*. Dessa maneira, a sabedoria é uma percepção do panorama geral, o acúmulo de experiências e a capacidade de se elevar acima das tendenciosidades, das armadilhas onde caem os pensadores mais preguiçosos.

O fato de você estar sentado aqui lendo um livro é um passo maravilhoso na jornada para a sabedoria. Mas não pare aqui — este livro é apenas uma introdução ao pensamento e à história clássicos. Tolstói expressou sua exasperação com pessoas que não liam de maneira profunda e regular. "Não posso compreender", disse ele, "como algumas pessoas podem viver sem ser comunicar com as pessoas mais sábias que algum dia viveram na Terra." Há uma outra frase, agora clichê, que é ainda mais incisiva: pessoas que não leem não têm nenhuma vantagem sobre aquelas que não sabem ler.

Existe, contudo, pouca vantagem em ler com arrogância ou para confirmar opiniões preexistentes. Hitler passou sua curta sentença de prisão após a Primeira Guerra Mundial lendo os clássicos da história. Porém, em vez de aprender alguma coisa naqueles milhares de páginas, segundo disse, apenas "Reconheci a exatidão de meus pontos de vista".

Isso não é sabedoria. Nem mesmo estupidez. É insanidade.

Devemos também procurar mentores e professores que possam nos guiar em nossa jornada. O estoicismo, por exemplo, foi fundado quando Zenão, então um comerciante bem-sucedido, ouviu pela primeira vez alguém lendo os ensinamentos de Sócrates em voz alta numa livraria. Mas isso não foi suficiente. O que ele fez *em seguida* foi o que o pôs no caminho da sabedoria, pois ele se aproximou da pessoa que estava lendo e disse: "Onde posso encontrar um homem assim?" No budismo, há a ideia de *pabbajja*, que significa "ir em frente" e marca o início sério dos estudos de uma pessoa. Era o que Zenão estava fazendo. Respondendo ao chamado e indo em frente.

O mestre de Zenão foi um filósofo chamado Crates, e este não só lhe deu muitas coisas para ler, mas, como todos os grandes mentores, ajudou-o a tratar de questões pessoais. Foi com a ajuda de Crates que Zenão superou sua paralisante preocupação com o que os outros pensavam dele. Numa ocasião, despejou sopa sobre Zenão e mostrou quão pouco os outros se importavam ou sequer percebiam.

O primeiro mestre de Buda foi um asceta chamado Alara Kalama, que lhe ensinou os fundamentos da meditação. Quando ele aprendeu tudo que podia de Kalama, passou para Uddaka Ramaputta, que também era um bom professor. Foi durante o tempo de Ramaputta que Buda começou a perceber as limitações das escolas existentes e a considerar a possibilidade de iniciar a sua própria.

Se Zenão e Buda precisaram de mestres para avançar, então *com certeza* nós precisaremos de ajuda. E a capacidade de admitir isso é prova de um bom grau de sabedoria!

Encontre pessoas que admira e pergunte-lhes como chegaram aonde estão. Procure recomendações de livros. Não é o que Sócrates faria? Acrescente a isso experiências e experimentações. Ponha-se em situações difíceis. Aceite desafios. Familiarize-se com o desconhecido. É assim que você expande sua perspectiva e seu entendimento. Os sábios são tranquilos porque *viram de tudo*. Sabem o que esperar porque já passaram por isso. Cometeram erros e aprenderam com eles. E você deve fazer o mesmo.

Enfrente grandes questões. Enfrente grandes ideias. Trate seu cérebro como o músculo que ele é. Fortaleça-se através da resistência, da exposição e do treinamento.

Não confunda a busca da sabedoria com um desfile interminável de pôr do sol e flores. A sabedoria não produz imediatamente quietude ou clareza. Muito pelo contrário, ela pode até tornar as coisas menos claras, mais obscuras, antes do raiar do dia.

Lembre-se: Sócrates encarava honestamente o que ele não sabia. Isso é difícil. É penoso ter nossas ilusões destruídas. É humilhante perceber que não somos tão inteligentes quanto acreditávamos.

É também inevitável que o aluno diligente se depare com ideias desconcertantes ou desafiadoras — sobre o mundo ou sobre ele mesmo. É claro que isso será perturbador. Como poderia não ser?

Mas tudo bem.

É melhor do que sair colidindo pela vida (e uns com os outros) como toupeiras cegas, para tomar emprestada a analogia de Khruschov.

Queremos ficar com a dúvida. Queremos saboreá-la. Queremos segui-la aonde ela nos levar.

Porque do outro lado está a verdade.

ENCONTRE CONFIANÇA, EVITE O EGO

Evite ter seu ego tão perto do seu cargo para que, quando você perder seu cargo, seu ego não vá junto.

— Colin Powell

Em 1000 a.C. no vale de Elá, os povos de Israel e da Filisteia estavam presos numa guerra terrível. Não havia nenhum fim à vista até que o gigante Golias propôs um ousado desafio para encerrar o impasse entre os exércitos. "Eu desafio hoje as tropas de Israel! Mandem-me um homem para lutar sozinho comigo", gritou ele.

Por quarenta dias, nem um único soldado se ofereceu, nem mesmo o rei de Israel, Saul. Se Golias era movido por ego e arrogância, os israelitas estavam paralisados por medo e dúvida.

Então chegou o jovem Davi, um pastor que estava de passagem e tinha três irmãos no exército. Davi ouviu o desafio de Golias, e ao contrário de todo o exército, que se encolhia de medo, ele teve *confiança* de que podia lutar com Golias e vencer. Era louco? Como podia se julgar capaz de derrotar alguém tão grande?

"Quando aparece um leão ou um urso e leva uma ovelha do rebanho", disse Davi aos seus irmãos, "eu vou atrás dele, dou-lhe golpes e livro a ovelha de sua boca. Quando se vira contra mim, eu o pego pela juba e dou-lhe golpes até matá-lo. Teu servo pôde matar um leão e um urso; esse filisteu incircunciso será como um deles."

A confiança de Davi provinha da experiência, não do ego. Ele passara por coisas piores e as resolvera com as próprias mãos.

Davi conhecia seus pontos fortes, mas também conhecia suas fraquezas. "Não consigo andar com isto", disse ele depois de experimentar a armadura de um soldado, "pois não estou acostumado." Ele estava pronto para seguir em frente com o que poderíamos chamar de verdadeira consciência de si mesmo (e, é claro, sua fé).

Como Golias reagiu a esse desafiante pequenino? Como um típico valentão: ele riu. "Por acaso sou um cão, para que você venha contra mim com pedaços de pau?", gritou Golias. "Venha aqui", disse ele, "e darei sua carne às aves do céu e aos animais do campo!"

Essa arrogância teria vida curta.

Davi correu a toda velocidade em direção a Golias, com uma funda numa mão e algumas pedras do rio na outra. Naqueles breves segundos, Golias deve ter visto a confiança nos olhos de Davi e sentido medo pela primeira vez — e, antes que pudesse fazer qualquer coisa, estava morto. Derrubado pela pedra lançada com perícia pela funda de Davi. Sua cabeça cortada por sua própria espada.

Talvez a história desses dois combatentes seja verdadeira. Talvez não. Mas continua sendo uma das melhores histórias que temos sobre os perigos do ego, a importância da humildade e a necessidade da confiança.

A QUIETUDE É A CHAVE

Talvez não haja ninguém menos em paz que o egocêntrico, cuja mente é um miasma turbulento de sua própria grandiosidade e insegurança. Eles constantemente mordem mais do que podem mastigar. Procuram brigas aonde quer que vão. Criam inimigos. São incapazes de aprender com seus erros (porque não acreditam que cometem erro algum). Tudo com eles é complicado, tudo diz respeito a eles.

A vida é solitária e penosa para o homem ou mulher movido pelo ego. Donald Trump na Casa Branca, longe de sua mulher e filho, em seu roupão de banho, vociferando sobre os noticiários. Alexandre, o Grande, bêbado outra vez, lutando e matando seu melhor amigo por causa de uma discussão estúpida, sem pensar em nada senão na próxima conquista. Howard Hughes, aprisionado em sua mansão, maníaco e empolgado com algum projeto maluco (que ele vai inevitavelmente sabotar).

Bem-sucedidos, sim, mas você trocaria de lugar com eles?

Essa forma tóxica de ego têm um gêmeo do mal mais humilde — muitas vezes chamado de "síndrome do impostor".

É uma ansiedade incômoda e interminável, um temor de que você não é qualificado para o que está fazendo — e de que isso está prestes a ser descoberto. A imagem de Shakespeare para esse sentimento foi um ladrão vestindo uma túnica roubada, a qual ele sabe ser grande demais. O escritor Franz Kafka, filho de um pai autoritário e repressor, equiparava a síndrome do impostor com o sentimento de um funcionário de banco que está adulterando os livros. Tentando freneticamente manter tudo em andamento. Aterrorizado pela ideia de ser descoberto.

É claro, essa insegurança existe quase inteiramente em nossa cabeça. As pessoas não estão pensando em você. Elas têm seus próprios problemas com que se preocupar!

O que é melhor do que esses dois extremos — ego e síndrome do impostor — senão a simples confiança? Merecida. Racional. Objetiva. *Tranquila*.

Ulysses S. Grant teve um pai egoísta, inclinado à autopromoção, sempre envolvido em alguma tramoia ou escândalo. Grant sabia que não era isso que ele queria ser. Em resposta, desenvolveu uma autoconfiança fria e calma que era muito mais próxima da personalidade discreta porém forte de sua mãe. Essa foi a fonte de sua grandeza.

Antes da Guerra Civil, Grant vivenciou uma longa cadeia de reveses e dificuldades financeiras. Acabou em St. Louis, vendendo lenha para viver — uma dura queda para alguém com diploma de West Point. Um colega do exército o encontrou e ficou horrorizado. "Meu Deus, Grant, o que você está fazendo?" A resposta de Grant foi simples: "Estou resolvendo o problema da pobreza."

Essa é a resposta de uma pessoa confiante, uma pessoa em paz mesmo na adversidade. Grant não estava satisfeito com essa situação, mas não iria permitir que ela afetasse sua percepção de si mesmo. Além disso, estava ocupado demais tentando resolvê-la como podia. Por que odiar a si mesmo por trabalhar para ganhar a vida? Que havia de vergonhoso nisso?

Frequentemente, comentava-se sobre a inabalável confiança de Grant em batalha. Enquanto outros generais já estavam certos de que a derrota era iminente, Grant nunca se dava por vencido. Ele sabia que precisava apenas perseverar. Sabia também que era improvável que perder a esperança — ou a calma — fosse ser de alguma ajuda.

Com semelhante equanimidade, ele também não se deixou mudar pelo sucesso e poder nos anos posteriores, não somente comandando um poderoso exército, mas passando oito anos como líder mundial. (Charles Dana comentou que Grant foi um "herói despretensioso, a quem nenhum mau presságio podia desalentar e nenhum triunfo podia exaltar indevidamente".) Depois de sua presidência, Grant visitou a velha cabana onde ele e a esposa tinham morado naqueles dias difíceis. Um de seus auxiliares observou que a vida de Grant era uma trajetória incrível da pobreza para a riqueza — quase o enredo de um poema épico —, tendo saído daquela cabana e chegado à presidência. Grant deu de ombros. "Bem, nunca pensei nisso sob esse prisma."

Isso também é confiança. E ela não precisa nem de congratulações nem de glória para se deleitar, pois é uma sincera compreensão de nossos pontos fortes e fraquezas, capaz de revelar o caminho para uma glória maior: paz interior e clareza mental.

Uma pessoa confiante sabe o que importa. Sabe quando ignorar as opiniões dos outros. Não se gaba ou mente para se dar bem (enfrentando posteriormente dificuldade em corresponder à expectativa alheia). A confiança é a liberdade para estabelecer padrões próprios e livrar-se da necessidade de demonstrar seu valor. Uma pessoa confiante não teme a discordância e não vê a mudança — a troca de uma opinião incorreta por uma correta — como uma admissão de inferioridade.

O ego, por outro lado, é abalado por dúvidas, afligido pela arrogância, exposto por sua própria presunção e ostentação. No entanto, não sonda a si mesmo — nem se deixa sondar — porque sabe o que poderia ser encontrado.

Mas uma pessoa confiante é aberta, reflexiva e capaz de ver a si mesma sem restrições. Tudo isso abre espaço para a quietude, eliminando o conflito, a incerteza e o ressentimento desnecessários.

E você? Onde está nesse espectro?

Haverá reveses na vida. Mesmo um mestre ou gênio vivencia períodos de inadequação quando tenta aprender novas habilidades ou explorar novos domínios. A confiança é o que determina se isso será uma fonte de angústia ou um desafio agradável. Se você fica consternado toda vez que as coisas não estão a contento, se não consegue desfrutar quando as coisas caminham como você quer porque as sabota com dúvidas e inseguranças, a vida será um inferno.

E, com certeza, confiança plena ou confiança constante são coisas que não existem. Vamos oscilar. Vamos ter dúvidas. Vamos nos encontrar em novas situações de completa incerteza. Mas, ainda assim, queremos olhar dentro desse caos e encontrar aquele núcleo de confiança tranquila. Foi o que Kennedy fez na Crise dos Mísseis de Cuba. Ele estivera em situações difíceis antes, como quando seu barco torpedeiro PT afundou no Pacífico e tudo pareceu estar perdido. Ele aprendeu então que o pânico não resolvia nada e que a salvação raramente vinha da ação precipitada. Aprendeu também que podia contar consigo mesmo e que podia superar a situação — se não perdesse a cabeça. O que quer que acontecesse, disse ele a si mesmo no início da crise, ninguém escreveria um livro chamado *Canhões de outubro* sobre a maneira como ele resolveu a situação. Era algo que ele podia controlar, e foi nisso que ele encontrou confiança.

Isto é essencial. Tanto as pessoas egoístas quanto as inseguras tornam seus defeitos o centro da própria identidade — seja encobrindo-os, seja ruminando sobre eles ou externando-os.

Para elas, a quietude é impossível, porque a quietude só pode se enraizar na força.

É nisso que temos que nos concentrar.

Não alimente sua insegurança. Não alimente seus delírios de grandeza.

Ambos são obstáculos para a quietude.

Seja confiante. Você mereceu isso.

SOLTE

O trabalho feito em troca de uma recompensa é muito inferior ao trabalho feito na ioga da sabedoria. Ponha seu coração no seu trabalho, mas nunca na recompensa. Não trabalhe pela recompensa; mas nunca pare de fazer o seu trabalho.

— Bhagavad Gita

O grande mestre de arco e flecha Awa Kenzo não se concentrava em ensinar o domínio técnico do arco. Quase não passava tempo instruindo seus alunos sobre como mirar intencionalmente e atirar, dizendo-lhes para apenas puxar a corda para trás até que o tiro "caísse de ti como uma fruta madura".

Em vez disso, ele preferia ensinar aos alunos uma importante habilidade mental: desapego. "O que se interpõe no teu caminho", disse Kenzo certa vez a seu aluno Eugene Herrigel, "é que tens uma vontade obstinada demais." Era essa vontade obstinada — o desejo de estar no controle e ditar o horário e o processo de tudo de que somos parte — que impedia Herrigel de aprender, de *realmente* dominar a arte que ele praticava.

O que Kenzo queria que seus alunos fizessem era tirar o pensamento de atingir o alvo de suas mentes. Queria que eles se desapegassem até da ideia de um resultado. "Os acertos no alvo", dizia ele, "são somente a prova exterior e a confirmação de tua ausência de propósito em seu grau mais elevado, de tua falta de ego, teu autoabandono ou como quer que queiras chamar esse estado."

Esse estado é a *quietude*.

Mas desapego e ausência de propósito não soam exatamente como atitudes produtivas, não é? Esse era exatamente o tipo de dilema incômodo em que Kenzo queria pôr seus alunos. A maioria deles, como nós, queria que lhes dissessem o que fazer e lhes mostrassem como fazê-lo. Espera-se que nos importemos, *e muito*. A vontade obstinada deveria ser um *ponto forte*. Foi isso que funcionou para nós desde que éramos crianças que queriam se sair bem na escola. Como melhorar sem isso? Como essa pode ser a maneira de acertar na mosca?

Bem, vamos voltar um pouco.

Você já notou que quanto mais queremos algo, quanto mais insistimos em certo resultado, mais difícil pode ser alcançá-lo? Esportes como golfe e tiro com arco são os exemplos perfeitos disso. Quando você tenta acertar a bola com *muita* força, ela acaba desviando para a esquerda. Se levanta os olhos para acompanhar a bola e sacode o taco sem querer, ela desvia para a direita e vai parar na mata. A energia que você despende apontando a flecha — particularmente no começo — é energia *não* despendida melhorando a sua postura. Se estiver consciente demais dos componentes técnicos do tiro, você não fica relaxado ou tranquilo o suficiente.

Como os atiradores dizem hoje em dia: "Lento é tranquilo, tranquilo é rápido."

A quietude, portanto, é realmente um caminho para desempenhos melhores. Relaxar lhe dará mais controle do que se agarrar com força a um método ou a um resultado específico.

Obviamente um mestre de tiro com arco como Kenzo percebia que, no início do século XX, as habilidades que ele ensinava não eram mais questões de vida ou morte. Ninguém precisava saber como disparar uma flecha para sobreviver. Mas outras habilidades necessárias para dominar o tiro com arco continuavam sendo essenciais: foco, paciência, respiração, persistência, clareza. E, mais do que tudo, a capacidade de soltar.

O que precisamos na vida, nas artes, nos esportes, é nos descontrair, tornar-nos flexíveis, chegar a um lugar onde não haja nada em nosso caminho — nem mesmo nossa própria obsessão com certos resultados. Um ator não se transforma num personagem *pensando* sobre ele; tem de se soltar, livrar-se da técnica e adentrar no papel. Empresários não caminham pelas ruas deliberadamente à procura de oportunidades — eles têm de se abrir para notar as pequenas coisas à sua volta. O mesmo acontece a comediantes, ou até pais tentando educar os filhos.

"Todo mundo tenta disparar naturalmente", escreveu Kenzo, "mas quase todos os praticantes têm algum tipo de estratégia, algum tipo de truque técnico raso, artificial e calculista em que confiam quando atiram. No final das contas, truques técnicos não levam a lugar nenhum."

O controle de nosso domínio mental — por mais paradoxal que possa parecer — requer que recuemos em relação à rigidez da palavra "controle". Vamos obter a quietude de que necessitamos se nos concentrarmos nos passos individuais, se abraçarmos o processo e desistirmos de *perseguir*. Pensaremos melhor se não estivermos pensando *com tanto esforço*.

A maioria dos alunos, seja no tiro com arco, na ioga ou na química, começa com grande objetivo. Eles estão concentrados no resultado. Querem obter a maior nota ou a pontuação mais alta. Trazem consigo sua "expertise" anterior. Querem pular os passos desnecessários e ir direto à parte divertida. Em consequência, são difíceis de ensinar e se sentem facilmente desencorajados quando a jornada se prova mais difícil do que o esperado. Eles não estão presentes. Não estão abertos para a experiência e não podem aprender.

Na escola de Kenzo, somente quando um aluno tinha se rendido por completo, quando havia se desapegado até da ideia de fazer pontaria, tendo passado meses atirando flechas num fardo de feno poucos metros à sua frente é que ele finalmente anunciava: "Nosso novo exercício é atirar num alvo." E, mesmo aí, quando eles acertavam no alvo, Kenzo não cobria os arqueiros de elogios.

Ao contrário, depois de um tiro na mosca, Kenzo os instava a "continuar praticando como se nada tivesse acontecido". Ele dizia a mesma coisa depois de um tiro ruim. Quando os alunos pediam mais instruções, respondia: "Não peçam, *pratiquem!*"

Ele queria que os pupilos se perdessem no processo. Queria que abandonassem suas noções de como o tiro com arco deveria ser. Estava exigindo que ficassem presentes, vazios e abertos para que assim pudessem *aprender*.

No hinduísmo, no budismo, no siquismo e no jainismo, a flor de lótus é um símbolo poderoso. Embora surja da lama de um lago ou rio, ela não se eleva altaneira para o céu — e sim flutua livremente, serena, sobre a água. Dizia-se que, por onde quer que Buda andasse, flores de lótus apareciam para marcar suas pegadas. De certo modo, o lótus também encarna o princípio do soltar. É belo e puro, mas também atingível e modesto. É ao mesmo tempo apegado e desapegado.

Esse é o equilíbrio que queremos alcançar. Na vida, se mirarmos o troféu — seja ele reconhecimento, riqueza ou poder —, erraremos o alvo. Se mirarmos o alvo com intensidade demais — como Kenzo advertia seus alunos —, descuidaremos do processo e da arte necessários para atingi-lo. O que deveríamos estar fazendo é praticar. Deveríamos repelir aquela vontade obstinada.

Quanto mais perto chegamos da maestria, menos nos importamos com os resultados específicos. Quanto mais somos cooperativos e criativos, menor nossa tolerância com o ego ou a insegurança. Quanto mais em paz estamos, mais produtivos conseguimos ser.

Somente através da quietude os problemas são resolvidos. Somente com a redução das metas os alvos mais difíceis ficam ao alcance.

PASSEMOS À PRÓXIMA ETAPA

Se a mente é disciplinada, o coração logo passa do medo ao amor.

— John Cage

As apostas do que cada um de nós está tentando fazer são altas demais para nos deixarmos levar pela tagarelice dos noticiários ou o ruído da multidão. Os insights que buscamos estão muitas vezes enterrados e raramente são óbvios — para encontrá-los, precisamos ser capazes de olhar com profundidade, de perceber aquilo que outros são incapazes de notar.

Então ignoramos o ruído. Concentramo-nos no que é essencial. Ficamos ali com a presença. Com nossos diários. Esvaziamos nossa mente.

Tentamos, nas palavras de Marco Aurélio, "ignorar tudo isso e eliminar tudo — todo aborrecimento e distração — e alcançar a quietude absoluta". Construir uma espécie de caixa-forte ou fortaleza mental que nenhuma distração ou falsa impressão possa violar. Por breves momentos, conseguimos chegar lá. E quando estamos lá, nos descobrimos capazes de coisas que nem sabíamos ser possíveis: Desempenho excelente. Clareza impressionante. Felicidade profunda.

Contudo essa quietude muitas vezes é fugaz. Por quê?

Porque ela é sabotada por perturbações em outro lugar — não só a turbulência esperada no mundo à nossa volta, mas também dentro de nós. Em nosso espírito e em nossos corpos físicos.

"A mente tende à quietude", disse Lao Tsé, "mas é obstada pelo desejo." Somos como o público na performance de Marina Abramović. Presentes por um momento. Impelidos à quietude por um instante. Depois estamos de volta à cidade, de volta às velhas rotinas e atraídos por infinitos desejos e maus hábitos, como se aquela experiência nunca tivesse acontecido.

Um lampejo de quietude não é o que buscamos. Queremos foco e sabedoria constantes a que possamos recorrer mesmo nas situações mais difíceis. Para chegar lá será necessário mais esforço. Será necessária certa dose de autoanálise holística; tratar a doença e não apenas seus sintomas.

A premissa deste livro é que nossos três domínios — mental, emocional e corporal — devem estar em harmonia. A verdade é que para a maioria das pessoas esses domínios não estão só fora de sincronia, mas em guerra uns com os outros. Nunca teremos paz até que a guerra civil descrita pelo dr. King seja resolvida.

A história nos ensina que a paz é o que fornece a oportunidade de construir. É o boom pós-guerra que transforma nações em superpotências e pessoas comuns em centros de energia.

E assim temos de seguir em frente para travar a próxima batalha, para apaziguar o domínio do espírito e purificar nosso coração, nossas emoções, nossos impulsos, nossas paixões.

PARTE II

MENTE ♦ **ESPÍRITO** ♦ CORPO

A maioria de nós ficaria aterrorizada caso o próprio corpo se tornasse insensível e não mediria esforços para evitar tal condição; no entanto, não nos preocupamos com a insensibilidade da alma.

— Epiteto

O DOMÍNIO DA ALMA

Em retrospecto, foi um dos melhores momentos no golfe, talvez em todos os esportes. Em junho de 2008, Tiger Woods fez um *birdie* no último buraco do U.S. Open em Torrey Pines, ao norte de San Diego, e forçou um desempate de dezoito buracos. Ele obteve uma vantagem inicial de três tacadas, mas a perdeu, apenas para se recuperar, fazer outro *birdie* e forçar Rocco Mediate, de 46 anos, a uma rodada de morte súbita. Naquele buraco de par quatro, Tiger Woods faria mais um *birdie* para vencer seu terceiro U.S. Open e seu décimo quarto *major*. Ele era o segundo maior vencedor de *majors* na história do esporte.

Com uma ruptura de ligamento cruzado anterior e uma perna *quebrada* em dois lugares, Woods foi sem dúvida a primeira pessoa e provavelmente o último jogador de golfe na história a vencer sob tais condições uma partida tão turbulenta. Chamar isso de um triunfo da coragem e determinação é quase desvalorizar o desempenho de Woods, porque manteve tamanha compostura que ninguém que estava assistindo sequer soube da extensão de suas lesões.

O próprio Woods só sabia das fraturas, não do fato de que a articulação de seu joelho fora basicamente destruída. No entanto, de alguma maneira, com uma disciplina mental e física quase sobre-humana, ele transcendeu todos os limites que aquele jogo de golfe complexo e esmagador tinha tentado lhe impor, e fez isso deixando escapar apenas uma expressão de dor aqui e outra ali.

Poderíamos considerar tal momento como o ápice da carreira de Tiger Woods. Ele se afastou por seis meses para se recuperar de uma cirurgia de emergência no joelho. Não muito tempo depois, sua amante, Rachel Uchitel, foi flagrada em seu hotel na Austrália, e subitamente os segredos de sua vida pessoal deixaram de ser segredos.

Quando foi confrontado pela esposa, Tiger tentou se safar com mentiras, mas elas haviam parado de funcionar. Dentro de minutos, Tiger estava estatelado na entrada da garagem de um vizinho, seu SUV amassado contra um hidrante próximo, e as janelas traseiras quebradas por um taco de golfe. Inconsciente, com a esposa chorando sobre ele, por um momento ele esteve *quieto*, de uma maneira como não ficava talvez desde que era bebê.

Não durou muito.

Em pouco tempo, uma avalanche de matérias em tabloides se seguiria — 21 capas consecutivas no *New York Post*. As mensagens de texto. Os casos com estrelas pornô e garçonetes, sexo frenético em estacionamentos de igrejas, sexo até com as filhas de 21 anos de amigos da família, tudo veio a público. O período numa clínica de reabilitação para tratar o vício em sexo, a perda de seus patrocinadores e o divórcio de 100 milhões de dólares — tudo isso quase o destruiu, como destruiria qualquer pessoa.

Ele passaria uma década sem vencer outro *major*.

"Na superfície do oceano há quietude", disse o monge Thich Nhat Hanh sobre a condição humana, "mas por baixo há correntes." Foi assim com Tiger Woods. Esse homem, que se tornara um ícone por sua capacidade de ficar calmo e concentrado em momentos de total estresse, um homem com disciplina física para puxar os freios de emergência caso decidisse recomeçar sua tacada de 207 quilômetros por hora, o campeão do "mais sossegado" dos esportes, estava à mercê de contracorrentes indomáveis que se escondiam sob sua plácida conduta. E, como qualquer capitão experiente dos mares da vida pode lhe dizer, o que acontece na superfície da água não importa — é o que se passa abaixo que vai matá-lo.

Tiger Woods podia encarar adversários e uma pressão inimaginável, perseverar ao longo dos incontáveis obstáculos em sua carreira. Ele só não conseguia lidar tão bem com seus próprios demônios.

As sementes da destruição de Tiger foram lançadas cedo. Seu pai, Earl Woods, era um homem complicado. Nascido na pobreza, Earl vivenciou o pior do racismo e da segregação americana. Conseguiu cursar faculdade e ingressar no Exército, pelo qual foi enviado ao Vietnã como Boina Verde. Abaixo da superfície dessa façanha também havia correntes — de narcisismo, egoísmo, desonestidade e cobiça. Um exemplo simples: Earl voltou de seu segundo período no Vietnã com uma nova esposa... um fato que deixou de mencionar para a esposa e os três filhos que já tinha.

Quando Tiger nasceu desse segundo casamento, Earl tinha 43 anos e não estava particularmente empolgado em reviver a paternidade. Durante o primeiro ano da vida de Tiger, Earl exercia seu papel de pai prendendo o bebê numa cadeira alta enquanto praticava golfe na garagem. Foi de fato vendo o pai jogar golfe — em vez de brincar como uma criança comum — que Tiger desenvolveu sua obsessão quase anormal pelo jogo. Segundo a lenda da família, aos nove meses ele deslizou da cadeira, pegou um taco e bateu numa bola de golfe.

É uma história ao mesmo tempo tocante e completamente anormal. Com dois anos, Tiger Woods apareceu no programa de TV *The Mike Douglas Show* para exibir suas habilidades. A audiência adorou, mas Jimmy Stewart, o outro convidado naquele dia, não achou divertido. "Já vi um número grande demais de crianças queridas como este lindo menininho", disse ele a Douglas nos bastidores, "e um número grande demais de pais iludidos."

Ainda assim, a dedicação de seus pais foi sem dúvida o que permitiu a Tiger Woods tornar-se um grande jogador de golfe. Milhares de horas na garagem vendo o pai treinar gravaram em sua mente a bela mecânica de uma tacada. Os outros milhares de horas que eles passaram no *driving range** e jogando golfe — graças em parte às tarifas com desconto que Earl obteve no campo militar perto da casa deles — foram fundamentais. Seus pais o apoiaram, levaram-no de carro para os torneios e contrataram os melhores técnicos.

Eles não pararam aí. Earl Woods sabia que o golfe era um jogo mental, por isso se empenhou em preparar o filho para o implacável mundo dos esportes. Começando quando Tiger tinha cerca de sete anos, Earl agiu ativamente para desenvolver a concentração do filho. Sempre que Tiger dava a tacada inicial [teed off], Earl tossia. Ou tilintava moedas em seu bolso.

---

* Área para treino de tacadas de golfe. (N.T.)

Ou deixava seus tacos caírem. Ou jogava uma bola nele. Ou bloqueava sua linha de visão. "Eu queria lhe ensinar resistência mental", contou Earl. "Se ele se distraísse com aquelas coisas pequenas que eu fazia, nunca seria capaz de lidar com a pressão de um torneio."

Mas, à medida que Tiger crescia, o treinamento foi ficando cada vez mais parecido, como o próprio Earl admitiu, com um colégio interno cruel. Era um campo de treinamento com "técnicas de interrogatório para prisioneiros de guerra" e "intimidação psicológica" que nenhuma pessoa civilizada deveria infligir a outra. "Ele me depreciava constantemente", diria Tiger depois. "Me pressionava até o limite, depois recuava. Era bárbaro."

Sim. *Bárbaro*.

É isso que significa, para um menino, ouvir seu pai insultá-lo quando ele tenta praticar um esporte, chamá-lo de "filho da puta" quando ele está tentando se concentrar. Imagine como seria doloroso ouvir seu próprio pai dizendo-lhe para ir "à puta que pariu" ou perguntando "Como você se sente sendo um crioulinho?" para tentar tirá-lo do sério. Earl Woods chegava a trapacear quando jogavam juntos, supostamente para ajudar o filho a continuar humilde e jogando bem. Como Tiger definiu, tudo isso era parte de um treinamento calculado para que ele se tornasse o que seu pai queria: um "'assassino de sangue frio' no campo".

Contudo Tiger, que claramente amava seu pai, disse que eles tinham um código que ele podia usar se o pai em algum momento fosse longe demais — no treinamento mental ou físico — e que a única coisa que Tiger tinha de fazer era falar o código e Earl pararia. Tiger conta que nunca o fez, porque precisava e gostava do treino, mas a própria palavra escolhida é ilustrativa. Não era uma piada interna bonitinha ou alguma palavra boba que não significava nada. A palavra que Tiger podia pronunciar para que seu pai parasse de maltratá-lo, para que o tratasse como uma criança normal, era, acredite: *basta*.

Além de nunca ser pronunciada, os dois passaram a se referir a ela quase como se fosse um palavrão: "a palavra que começa com *b*."

Segundo a família, a palavra que começa com *b* era algo que derrotistas dizem, algo, portanto, em que somente os perdedores acreditam.

É uma surpresa, então, que esse menino talentoso tenha progredido e alcançado tantas vitórias? Mas que essas vitórias não o fizessem feliz? Ele era imperturbável no campo de golfe e completamente infeliz por dentro.

A mãe de Tiger também lhe ensinava lições. Ela lhe dizia: "Você nunca, jamais vai arruinar minha reputação como mãe, ou lhe darei uma surra." Observe a ameaça de violência física e o tipo de coisa a que ela se referia — não a fazer algo *errado*, mas a *constrangê-la*. Earl Woods, como marido, também mostrou desde cedo como equilibrar os dois lados dessa moeda. Ele traía sua esposa quando viajava com o filho. Bebia demais. Chegou até, provavelmente violando as regras do esporte amador, a aceitar um salário secreto de 50 mil dólares anuais da IMG (International Management Group), a agência de esportes que acabaria representando Tiger Woods.

Qual é a lição disso tudo? As aparências são a única coisa que importa. Faça o que for necessário para vencer — só não deixe ninguém descobrir.

Um atleta menos talentoso e dedicado teria sido arruinado por esse abuso. Mas Tiger Woods não tinha apenas talento natural, ele realmente amava o golfe e amava o esforço envolvido. Assim, foi se tornando cada vez melhor.

Quando tinha três anos, vencia meninos de dez. Aos onze, conseguia derrotar seu pai com frequência em campos de dezoito buracos. Na sétima série, estava sendo recrutado pela Universidade Stanford. Lá, onde passou dois anos, Tiger recebeu o título de All-American e foi o jogador número um do país. Quando se profissionalizou, aos vinte anos, já estava óbvio que poderia se tornar o melhor jogador da história. O mais rico também. Seus primeiros contratos com a Nike e a Titleist valiam juntos 60 milhões de dólares.

A primeira década e meia de Tiger Woods como profissional foi possivelmente a soberania mais dominante de todos os tempos em qualquer esporte. Ele ganhou tudo que podia ser ganho. Quatorze *majors*, 140 torneios. Classificou-se como o jogador de golfe número um no mundo por *281 semanas consecutivas*. Ganhou mais de 115 milhões de dólares por vitórias no circuito. Venceu em todos os continentes, exceto a Antártida.

Havia, para quem estivesse prestando atenção, sinais de doença: os tacos arremessados depois de um buraco ruim e a falta de preocupação com os fãs, que essa atitude ocasionalmente punha em perigo. A maneira como tinha rompido com a antiga namorada do ensino médio, fazendo a mala da moça e enviando-a para o quarto de hotel dos pais dela com uma carta; ou como reagiu quando Steve Scott o salvou de ser eliminado acidentalmente na épica partida entre os dois, nem sequer lhe agradecendo, nem sequer reconhecendo o incrível espírito esportivo do gesto — tratando-o como se fosse a manifestação da fraqueza de uma presa inferior.* O modo como tinha deixado seu time de golfe da faculdade para se profissionalizar sem nem ao menos se despedir dos colegas de equipe. A forma como, depois de terminar uma refeição com a família ou com amigos, ele apenas se levantava e ia embora sem dizer nada. O fato de que podia simplesmente eliminar pessoas de sua vida.

Hank Haney, técnico de golfe de Woods, diria que, com o tempo, Tiger começou a compreender que "qualquer pessoa que fosse trazida para o seu mundo era afortunada e teria que seguir suas regras". Isso era o que lhe fora ensinado pelos pais, que o criaram ao mesmo tempo como uma espécie de príncipe e um prisioneiro num experimento psicológico. A fama e a riqueza só contribuíram para isso. "Eu sentia que trabalhara duro minha vida inteira e merecia desfrutar todas as tentações à minha volta", Tiger diria mais tarde. "Sentia que tinha direito. Graças ao dinheiro e à fama, eu não precisava ir longe para encontrá-las."

Podemos imaginar que Tiger Woods, como tantas outras pessoas bem-sucedidas, ficava menos feliz quanto mais ele conquistava. Tinha menos liberdade. Dormia cada vez menos, até o ponto de só conseguir dormir com medicamentos. Mesmo com uma esposa linda e brilhante que ele amava, mesmo com dois filhos, a quem também amava, mesmo sendo o campeão inconteste de sua profissão, ele era infeliz, torturado por uma enfermidade espiritual e uma ansiedade esmagadora para a qual não encontrava alívio.

---

* Depois da partida, Steve Scott se casaria com sua *caddie*, e os dois viveriam felizes para sempre.

Sua mente era forte, mas sua alma doía. Doía por causa de seu trágico relacionamento com o pai. Doía por causa da infância que ele perdera. Doía porque *doía*. *Por que eu não sou feliz*, ele deve ter pensado, *se tenho tudo que sempre quis?*

A questão não é simplesmente que Tiger adorasse vencer. É que por tanto tempo vencer não fora nem de longe o bastante e nunca poderia bastar (a palavra que começa com *b*). Ele diria a Charlie Rose: "Vencer era divertido. Derrotar alguém era ainda melhor." Tiger disse isso *depois* de sua humilhação pública, depois de sua fase ruim de vários anos, após seu período na clínica de reabilitação. Ele ainda não tinha aprendido. Ainda não conseguia enxergar o que essa atitude lhe custara.

Todo mundo tem um coração faminto — é verdade. Mas a maneira como escolhemos alimentar esse coração importa. É o que determina o tipo de pessoa que acabamos nos tornando, em que tipo de dificuldade nos meteremos e se conseguiremos nos *saciar*, se algum dia estaremos realmente tranquilos.

Quando seu pai morreu, em 2006, os casos extraconjugais de Tiger Woods se intensificaram. Ele vivia em boates, farreando, em vez de ficar em casa com a família. Seu comportamento no campo ficou pior, mais esquivo, mais irritado. Ele também começou a passar quantidades incomuns de tempo com membros dos Navy SEALS, a força de operações especiais da Marinha americana, deixando-se levar por uma fantasia impossível de que poderia deixar o golfe e ingressar nas Forças Especiais, apesar de seus trinta e poucos anos de idade (e de ser uma das pessoas mais famosas do mundo). Num fim de semana em 2007, consta que Tiger Woods saltou de um avião dez vezes. Na verdade, as lesões que o atormentam até hoje são provavelmente resultado desse treinamento, não do golfe — inclusive de um acidente em que caiu após ter seu joelho chutado durante um exercício militar de "evacuação" de edifício.

Em vez de desfrutar a riqueza, o sucesso e a família, lá estava ele traindo a esposa, brincando de soldado numa espécie de crise de meia-idade precoce. "Espelho, espelho meu, tal como meu pai serei eu", diria um amigo de Earl e Tiger a respeito do caso. Como tantos de nós, Tiger tinha reproduzido inconscientemente os piores e mais dolorosos traços de seus pais.

Alguns enxergaram esses anos infrutíferos após o retorno de Tiger ao golfe como uma prova de que o egoísmo de sua antiga vida ajudava o seu jogo. Ou que, de alguma maneira, o trabalho que ele fez na reabilitação abriu feridas que era melhor ter deixado fechadas.

Como se Tiger Woods, um *ser humano*, não merecesse felicidade e existisse apenas para ganhar troféus e nos entreter na televisão. "Pois que adianta ao homem", perguntou Jesus aos seus discípulos, "ganhar o mundo inteiro e perder a sua alma?"

É uma pergunta que devemos fazer a nós mesmos. Enganar e mentir nunca ajudou ninguém no longo prazo, fosse no trabalho ou em casa. No caso de Tiger, o fato é que ele era tão talentoso que conseguiu se safar... até o momento em que não conseguiu mais.

Em algum momento, é preciso dizer a palavra que começa com *b*, *basta*. Ou o mundo irá dizê-la para você.

Num certo sentido, o treinamento realizado por seu pai deu certo. Tiger Woods tinha resiliência mental. Tinha talento e sangue-frio. Mas em todos os outros aspectos de sua vida era um indivíduo fraco e frágil — falido e desequilibrado. Aquela quietude existia somente no campo de golfe; em todos os outros lugares, ele estava à mercê de suas paixões e desejos. Enquanto se empenhava em afastar as distrações — qualquer coisa que pudesse se interpor no caminho de sua concentração ao dar cada tacada —, ele também estava afastando inúmeros outros elementos essenciais da vida. Um coração aberto. Relacionamentos significativos. Altruísmo. Moderação. Noção de certo e errado.

Esses elementos não são apenas importantes para uma vida equilibrada; eles são fontes de quietude que nos permitem suportar a derrota e desfrutar a vitória. A quietude mental terá vida curta se nossos corações estiverem em chamas ou se nossas almas estiverem sofrendo com o vazio. Somos incapazes de enxergar o que é essencial no mundo se estivermos cegos para o que se passa dentro de nós. Não podemos estar em harmonia com nada nem ninguém se a necessidade de ter mais, mais e mais estiver corroendo nossas entranhas como um verme.

"Quando você passa sua vida mentindo o tempo todo, viver não é divertido", Tiger diria mais tarde. Quando sua vida está desequilibrada, ela não é divertida. Quando sua vida gira única e exclusivamente em torno de você mesmo, ela é pior do que não divertida — é vazia e medonha. Tiger Woods não era apenas um homem solitário; ele era, como muitos de nós no mundo moderno, *uma ilha*. Ele podia ser famoso, mas era um estranho para si mesmo. Ninguém que lê sobre seus inúmeros casos fica com a impressão de que ele gostava disso ou que extraía deles grande prazer. Na verdade, temos quase a impressão de que ele queria ser flagrado. Para receber ajuda.

Não precisamos julgar Tiger Woods. Precisamos aprender com ele, tanto com sua queda quanto com sua longa e valente volta por cima ao vencer o Masters em 2019, com 43 anos e uma lesão na coluna, com seu filho pequeno torcendo por ele.

Porque temos os mesmos defeitos, as mesmas fraquezas e o mesmo potencial para a grandeza se estivermos dispostos a nos empenhar.

Marco Aurélio perguntava a si mesmo: "O que estou fazendo com minha alma? Interrogue-se para descobrir o que habita a sua assim chamada mente e que tipo de alma você tem agora. Uma alma de criança? De adolescente? (...) A alma de um tirano? A alma de um predador — ou de sua presa?"

Também precisamos nos fazer essas perguntas, especialmente à medida que alcançamos o sucesso.

Uma das melhores histórias da literatura zen é uma série de dez poemas sobre um agricultor e seus problemas com um touro. Os poemas são uma alegoria sobre a conquista do eu, e seus títulos traçam a jornada que todos nós devemos percorrer: nós procuramos o touro, rastreamos suas pegadas, o encontramos, o agarramos, o domamos e voltamos para casa montados nele.

A princípio o animal é indomável, é selvagem e impossível de conter. Mas a mensagem é que, com esforço e perseverança, com autoconhecimento e paciência — com *iluminação*, na realidade — por fim conseguimos domar as emoções e os impulsos dentro de nós. Como diz um dos poemas:

Sendo bem treinado, ele se torna
naturalmente manso.
Então, livre, ele obedece ao seu amo.

O narrador está num estado de serenidade e paz. Ele domou seu espírito rebelde.

É isso que estamos tentando fazer. Desde os tempos antigos, as pessoas se esforçam para treinar e controlar as forças que residem em suas profundezas de modo a poderem encontrar serenidade, de modo a poderem preservar e proteger suas realizações. De que adianta ser racional no trabalho se nossas vidas pessoais são uma conturbada série de desastres provocados pela impulsividade? E por quanto tempo conseguimos manter os dois domínios separados? Você pode governar cidades ou um grande império, mas, se não estiver no controle de si mesmo, tudo será em vão.

O trabalho que devemos fazer a seguir é menos cerebral e mais espiritual. Ele se passa no *coração* e na *alma*, e não na mente. Porque a alma é a chave para nossa felicidade (ou infelicidade), satisfação (ou insatisfação), moderação (ou voracidade) e quietude (ou perturbação).

É por isso que aqueles que procuram a quietude devem conseguir...

- Desenvolver uma forte bússola moral.
- Evitar a inveja, o ciúme e os desejos nocivos.
- Enfrentar as feridas dolorosas da infância.
- Praticar a gratidão e o apreço pelo mundo à sua volta.
- Cultivar relacionamentos baseados no amor.
- Depositar a crença e o controle nas mãos de algo maior que elas mesmas.
- Compreender que nunca haverá o "bastante" e que a busca desenfreada por mais leva apenas à ruína.

Nossa alma é onde obtemos felicidade e infelicidade, satisfação ou vazio — e, em última análise, determinamos a extensão de nossa grandeza.

Devemos, portanto, manter uma alma boa.

ESCOLHA A VIRTUDE

A essência da grandeza é a percepção de que a virtude basta.

— RALPH WALDO EMERSON

Numa passagem famosa, Marco Aurélio descreveu uma série do que chamou de "epítetos do eu". Entre os dele estavam: íntegro; modesto; franco; sensato; cooperativo. Esses eram, portanto, os traços que lhe eram úteis como imperador.

Há muitos outros atributos que poderiam ser acrescentados a esta lista: sincero; paciente; atencioso; bom; corajoso; calmo; firme; generoso; clemente; correto.

Há uma palavra, no entanto, sob a qual todos esses epítetos se situam: virtude.

A virtude, acreditavam os estoicos, era o bem mais elevado — o *summum bonum* — e devia ser o princípio por trás de todas as nossas ações. Virtude não é santidade; é excelência moral e cívica no dia a dia. É um sentimento de pura retidão que emerge de nossas almas e se torna real através das ações que praticamos.

O Oriente valorizava a virtude tanto quanto o Ocidente. *Tao Te Ching*, por exemplo, significa O *caminho da virtude*. Confúcio, que aconselhou muitos governantes e príncipes de seu tempo, teria concordado com Marco sobre a busca da virtude ser útil para um líder. Seu maior elogio teria sido chamar um governante de *junzi* — uma palavra para a qual os tradutores ainda têm dificuldade de encontrar um equivalente, mas é interpretada como um tipo de pessoa que emana integridade, honra e autocontrole.

Se o conceito de "virtude" lhe soa um tanto engessado, perceba como uma vida virtuosa vale a pena *por si só*. Ninguém tem menos serenidade do que a pessoa que não sabe o que é certo ou errado. Ninguém está mais exausto do que a pessoa que, por carecer de um código moral, precisa refletir excessivamente sobre cada decisão e considerar cada tentação. Ninguém se sente pior consigo mesmo do que o trapaceiro ou o mentiroso, mesmo se — e muitas vezes especialmente se — ele for inundado de recompensas por suas trapaças e mentiras. A vida é insignificante para a pessoa que acha que suas escolhas não têm nenhum sentido.

Enquanto isso, e a pessoa que sabe o que valoriza? Que tem uma forte noção de integridade e princípios e se comporta de acordo com ela? Que possui autocontrole moral, que se apoia confortavelmente nessa bondade, dia após dia? Essa pessoa encontrou a quietude.

Uma espécie de poder a que ela tem condições de recorrer quando enfrenta desafios, estresse e até situações das mais assustadoras.

Veja a resposta do político canadense Jagmeet Singh a uma manifestante furiosa durante seu comício. Quando a mulher, descontrolada, surgiu e começou a gritar com ele sobre o islã (embora ele seja sique), ele respondeu com dois de seus próprios epítetos para o eu: "Amor e coragem." Logo, a multidão começou a recitar junto com ele: "Amor e coragem. Amor e coragem. Amor e coragem."

Ele poderia ter ficado ali e gritado de volta. Poderia ter fugido. A reação poderia levá-lo à maldade ou crueldade, na hora ou para sempre. É possível que ele tenha sido chamado a essas direções. Mas, em vez disso, permaneceu calmo, e aquelas duas palavras o ajudaram a se recompor em meio ao que era não só uma situação que punha em risco sua carreira, mas provavelmente pareceu ameaçar sua vida.

Diferentes situações, claro, exigem diferentes virtudes e diferentes epítetos para o eu. Quando enfrentamos uma tarefa difícil, podemos dizer a nós mesmos repetidamente: "Força e coragem." Antes de uma conversa difícil com um parceiro: "Paciência e bondade." Em tempos de corrupção e maldade: "Bondade e honestidade."

A dádiva do livre-arbítrio é a possibilidade de escolher entre ser bom ou mau. Podemos escolher os padrões a que nos prendemos e o que consideramos importante, honroso e admirável. As escolhas que fazemos nesse aspecto determinam se vamos experimentar paz ou não.

Essa é a razão por que cada um de nós precisa parar e se autoanalisar. O que defendemos? O que consideramos essencial e importante? Para que estamos realmente *vivendo*? Na medula de nossos ossos, nas câmaras de nosso coração, sabemos a resposta. O problema é que a agitação da vida, a necessidade de seguir uma carreira e de sobreviver no mundo se interpõem entre nós e esse autoconhecimento.

Confúcio disse que a virtude é uma espécie de estrela polar. Não só guia o navegante, mas atrai outros viajantes também. Epicuro, que foi injustamente estigmatizado como hedonista pela história, sabia que a virtude era o caminho para a tranquilidade e a felicidade. Na verdade, ele acreditava que virtude e prazer eram dois lados da mesma moeda. Como ele afirmou:

> É impossível viver uma vida agradável sem também viver de maneira sensata, nobre e justa, e em contrapartida é impossível viver de forma sensata, nobre e justa sem viver agradavelmente. Uma pessoa que não tem uma vida agradável não está vivendo de maneira sensata, nobre e justa, e, na mesma medida, a pessoa que não possui essas virtudes não pode viver agradavelmente.

Onde estiver a virtude, ali também estão a felicidade e a beleza.

Confúcio escreveu que o "cavalheiro é senhor de si e tranquilo, ao passo que o homem insignificante está perpetuamente cheio de preocupação". Vale a pena lançar um olhar para Sêneca, outro filósofo estoico que, como Marco, ganhava a vida na política. Como nós, Sêneca era cheio de contradições. Por um lado, seus escritos contêm algumas das mais belas meditações sobre moralidade e autodisciplina já feitas, e elas são obviamente o resultado de uma incrível concentração e clareza mental. Por outro, Sêneca era um batalhador — um ambicioso escritor-político que aspirava à celebridade tanto por sua prosa quanto por sua política.

No auge da carreira, ele trabalhara como mediador para o imperador, Nero. Este, embora tivesse começado como um promissor aluno de Sêneca, não tornava fácil o trabalho de seu professor. Era desvairado, egoísta, dispersivo, paranoide e desalmado. Imagine que você passa seus serões escrevendo sobre a importância de fazer a coisa certa, da temperança e sabedoria, e, durante o dia, tem de ajudar seu patrão todo-poderoso a justificar a tentativa de assassinar a própria mãe. Sêneca sabia que devia ir embora; ele provavelmente queria, mas nunca o fez.

O que é a virtude?, Sêneca perguntava. Então respondia: "Julgamento correto e inabalável." A virtude dá origem às boas decisões, à felicidade e à paz. Ela irradia da alma e guia tanto a mente quanto o corpo.

No entanto, quando olhamos para a vida de Sêneca, temos a impressão de que ele era o tipo de homem cuja ambição não lhe proporcionava muita paz, e sim desvirtuava suas decisões. Sêneca escreveu eloquentemente sobre a falta de sentido da riqueza, contudo veio a possuir uma enorme fortuna por meios escusos. Ele acreditava em misericórdia, bondade e compaixão, mas ainda assim serviu de bom grado a dois imperadores distintos que provavelmente eram psicopatas. Era como se ele não acreditasse o bastante em sua própria filosofia para pô-la em prática na íntegra — não era capaz de aceitar por completo que a virtude lhe forneceria o suficiente para viver.

Dinheiro, poder e fama pareciam um pouco mais urgentes.

Sêneca tinha conhecimento do caminho virtuoso, mas perseguia os prêmios que o afastavam dele. Essa escolha custou-lhe muitas noites insones e o levou a enfrentar dilemas éticos espinhosos. No fim, custou-lhe a vida. Em 65 d.C., Nero se voltou contra seu antigo professor e forçou-o a cometer suicídio — o mal que Sêneca tinha racionalizado por tanto tempo acabou por lhe custar tudo.

Não há dúvida de que é possível se dar bem na vida mentindo, trapaceando e, em geral, sendo péssimo com as outras pessoas. Esse pode ser até um caminho rápido para o topo. Mas ele vem à custa não só de seu respeito próprio, mas de sua segurança também.

A virtude, por outro lado, por mais louco que isso possa parecer, é uma maneira muito mais acessível e sustentável de ter sucesso.

Como assim? O reconhecimento depende dos outros. Para obter riquezas, são necessárias oportunidades de negócios. Você pode ser impedido de alcançar seus objetivos tanto pelas condições meteorológicas quanto por um ditador. Mas a virtude? Ninguém pode impedi-lo de saber o que é certo. Nada se interpõe entre você e ela... exceto você mesmo.

Cada um de nós deve cultivar um código moral, um padrão mais elevado que amamos quase mais do que a própria vida. Cada um de nós deve parar e se perguntar: *O que é importante para mim? Qual é a coisa pela qual eu me sacrificaria para não a trair? Como vou viver e por quê?*

Não são perguntas vãs ou indagações banais de um teste de personalidade. Precisamos dessas respostas se quisermos a quietude (e a força) que repousa na cidadela de nossa própria virtude.

É nos momentos difíceis na vida — as encruzilhadas em que Sêneca se encontrou quando chamado a servir Nero — que recorremos à virtude. Heráclito disse que caráter era destino. Ele está certo. Desenvolvemos bom caráter, epítetos fortes para nós mesmos, para não vacilarmos quando for importante.

De modo que, quando todos os outros se sentirem assustados e tentados, nós sejamos virtuosos.

Sejamos tranquilos.

CURE A CRIANÇA INTERIOR

A criança em mim está sossegada... e às vezes não tão sossegada.

— Fred Rogers

Havia um aspecto infantil em Leonardo da Vinci. De fato, era isso que fazia dele um artista tão brilhante — sua traquinice, sua curiosidade, seu fascínio em inventar e criar. Mas, por trás desse caráter brincalhão, havia uma profunda tristeza, uma dor enraizada em acontecimentos de seus primeiros anos de vida.

Leonardo nasceu em 1452, filho ilegítimo de uma próspera família de notários. Embora mais tarde seu pai tenha convidado o filho bastardo para ir morar com ele e ajudado a garantir o aprendizado artístico inicial de Leonardo, a distância entre pai e filho nunca foi eliminada.

Na época, era costume que o filho mais velho de um proeminente negociante, como o pai de Leonardo, fosse escolhido a seguir a profissão de seu pai e por fim assumir seu negócio. Embora a guilda dos notários tecnicamente não reconhecesse herdeiros *non legittimo*, é surpreendente que o pai de Leonardo nunca tenha sequer tentado apresentar uma petição para legitimar seu filho perante um magistrado local.

O pai de Leonardo viria a ter mais doze filhos, nove dos quais eram meninos. Quando ele morreu, não deixou nenhum testamento específico, um ato que, para um notário familiarizado com a lei, significava uma coisa: ele estava deserdando legalmente Leonardo em favor de seus filhos "de verdade". Conforme Walter Isaacson, biógrafo de Leonardo, ao excluir o artista e nunca aceitá-lo completamente, o "principal legado" de Piero da Vinci "para seu filho foi lhe gerar um desejo insaciável por um mecenas incondicional".

De fato, toda a vida artística de Leonardo exibe uma busca quase infantil por amor e aceitação por parte dos homens poderosos para os quais ele trabalhou. Ele serviu devotadamente seu primeiro mentor, Andrea del Verrocchio, por mais de onze anos — até Leonardo chegar aos 25 —, um tempo incrivelmente longo para um talento tão pródigo (Michelangelo passou a trabalhar por conta própria aos dezesseis). O que poderia ter atraído uma alma doce como Leonardo para César Bórgia, um psicopata assassino? Bórgia era o único patrocinador que estava disposto a examinar e considerar as invenções militares de Leonardo — um projeto apaixonado de longa data. De Milão para a França e até o próprio Vaticano, Leonardo viajou por toda parte em sua carreira, procurando o apoio financeiro e a liberdade artística que pensava que o tornariam completo.

Ele se irritou e transferiu sua oficina quase meia dúzia de vezes, deixando para trás encomendas não concluídas. Às vezes era por causa de uma desfeita. Em geral, porque o patrocinador não conseguia ser tudo que Leonardo queria. O subtexto de suas cartas iradas e trabalhos semiconcluídos fala tão alto para nós hoje quanto qualquer adolescente furioso: Você não é meu pai. Não pode me dizer o que fazer. Você não me ama de verdade. Eu vou lhe mostrar.

Muitos de nós carregamos feridas da nossa infância. Talvez alguém nos tenha maltratado. Ou vivenciamos algo terrível. Ou nossos pais eram ocupados demais, críticos demais ou envolvidos demais com seus próprios problemas para corresponderem às nossas necessidades.

Essas feridas abertas moldam as decisões que tomamos e as ações que realizamos, mesmo que nem sempre estejamos conscientes desse fato.

Isso deveria ser um alívio: a fonte de nossa ansiedade e preocupação, as frustrações que parecem surgir tão subitamente em situações inapropriadas, a razão por que temos dificuldade em permanecer em relacionamentos ou ignorar críticas — não vêm de nós. Bem, não de nós enquanto *adultos*. Vêm da criança de sete anos vivendo dentro de nós. Aquela que foi ferida por mamãe e papai, a doce e inocente criança que não era vista.

Vejamos a trajetória de Rick Ankiel, um dos melhores e mais talentosos arremessadores da história do beisebol. Sua infância foi em um lar violento, com um pai abusivo e um irmão traficante de drogas. Durante toda a vida, Rick sufocou essa dor e esse desamparo, concentrando-se em suas habilidades, e acabou se tornando o arremessador mais promissor das ligas menores. Então, de repente, justo quando sua carreira começava a ir bem, no primeiro jogo dos play-offs do beisebol de 2000, em frente a milhões de pessoas, ele perdeu o controle de seus arremessos.

O que aconteceu? Apenas alguns dias antes, seu pai e seu irmão tinham sido presos por envolvimento com drogas e Rick fora ao tribunal para vê-los. Ele havia fugido dessa dor e dessa raiva durante anos, até que elas finalmente explodiram e destruíram o equilíbrio delicado que o arremesso exigia. Foram necessários anos de trabalho com Harvey Dorfman, um psicólogo esportivo brilhante e paciente, para que ele recuperasse seus dons. E, mesmo então, só até certo ponto. Ankiel só arremessaria mais cinco vezes profissionalmente, nenhuma como titular. Ele passou o resto da carreira no campo externo — sobretudo no campo central, a posição mais distante do monte.

O próprio Sigmund Freud escreveu sobre como é comum que déficits, grandes ou pequenos, numa idade precoce gerem atitudes tóxicas e turbulentas na maturidade. Porque não nascemos ricos o bastante, bonitos o bastante, naturalmente talentosos, porque não éramos apreciados como outras crianças na sala de aula, ou porque tínhamos de usar óculos ou adoecíamos muito ou não podíamos comprar roupas bonitas — carregamos essa raiva dentro de nós. Alguns são como Ricardo III, acreditando que uma deformidade nos dá direito ao egoísmo, à crueldade ou à ambição insaciável. Como explicou Freud, "todos nós exigimos reparação pelas feridas antigas a nosso narcisismo". Acreditamos que isso nos é devido porque fomos injustiçados ou privados. (Isso era Tiger Woods tal e qual.)

Contudo, criar um monstro para proteger sua criança interior ferida é um negócio perigoso.

A lente da insegurança. A lente da ansiedade. A lente da perseguição. A lente do "vou provar que todos eles estão errados". A lente do "quer ser meu pai?" que Leonardo tinha. Essas adaptações, desenvolvidas desde cedo para tentar compreender o mundo, não tornam nossa vida mais fácil. Pelo contrário. Quem pode ser feliz dessa maneira? Você daria a uma criança de nove anos o controle sobre alguma coisa perigosa ou importante?

O produtor de cinema Judd Apatow falou a respeito de algo que ele compreendeu após uma grande briga durante a produção de um de seus filmes. Por anos, ele tinha interpretado cada aviso que o estúdio ou os executivos lhe davam, cada tentativa de restrição ou influência, como se fossem as detestáveis intromissões de seus pais. Por instinto, emocionalmente, ele tinha lutado e resistido a cada intervenção. *Quem são esses idiotas para me dizerem o que fazer? Por que estão sempre tentando me dar ordens? Por que são tão injustos?*

Todos nós ocasionalmente nos surpreendemos com uma forte reação aos comentários inócuos de alguém ou damos um ataque quando alguma figura de autoridade tenta mandar nas nossas ações. Ou nos sentimos atraídos por um tipo de relacionamento que nunca acaba bem. Ou por um tipo de comportamento que sabemos estar errado. A profundidade que esses sentimentos podem ter é quase primitiva — eles estão enraizados em nossa infância.

Apatow precisou de terapia e autorreflexão (e provavelmente das observações de sua esposa) para compreender que o estúdio de cinema *não era seus pais*. Aquilo era uma transação comercial e uma discussão criativa, não mais um caso de um menino talentoso recebendo ordens dos pais ausentes.

Mas com essa consciência veio a quietude, mesmo que tenha sido apenas porque ela atenuou as discussões no trabalho. Pense em como a vida é melhor e menos aterradora quando não temos de ver as coisas pela ótica de uma criança assustada e vulnerável; em como a nossa carga será mais leve se não pusermos uma bagagem extra sobre ela.

Será preciso ter paciência, empatia e verdadeira autoestima para curar as feridas em sua vida. Como Thich Nhat Hanh escreveu:

> Após reconhecer e acolher nossa criança interior, a terceira função da atenção plena é acalmar e aliviar nossas emoções difíceis. Apenas ao abraçar essa criança com cuidado acalmamos nossas emoções difíceis e podemos começar a nos sentir em paz. Quando acolhermos nossas fortes emoções com atenção plena e concentração, seremos capazes de ver as raízes dessas formações mentais. Saberemos de onde veio nosso sofrimento. Quando virmos as raízes das coisas, nosso sofrimento diminuirá. Assim a atenção plena reconhece, acolhe e alivia.

Dedique um tempo de reflexão à dor que você carrega desde as suas primeiras experiências. Pense sobre a "idade" das reações emocionais que você tem quando é ferido, traído ou desafiado inesperadamente de alguma maneira. Essa é a sua criança interior. Ela precisa de um abraço seu. Precisa que você diga: "Ei, amigo. *Está tudo bem.* Sei que você está ferido, mas vou cuidar de você."

O adulto funcional intervém para reassumir e tranquilizar. Para tornar a quietude possível.

Devemos essa atitude a nós mesmos, bem como às pessoas em nossa vida. Cada um de nós deve quebrar o elo na cadeia do que o budismo chama de *samsara*, a continuação do sofrimento da vida de geração em geração.

Aos dez anos, o comediante Garry Shandling perdeu seu irmão, Barry, vítima de fibrose cística, e foi deixado pelo resto de sua vida à mercê de sua mãe angustiada e controladora, que ficou tão perturbada com a perda do filho mais velho que proibiu Garry de comparecer ao funeral por medo de que ele a visse chorar.

Mas um dia, já muito mais velho, Garry escreveu em seu diário uma fórmula que poderia ajudá-lo a superar a dor, capaz não apenas de curar sua própria criança interior, mas de transmitir a lição aos muitos pupilos que ele tinha, como mentor e homem experiente do show business.* A fórmula era simples e é decisiva para romper o ciclo e aquietar a profunda angústia que carregamos conosco:

Dê mais.
Dê o que você não recebeu.
Ame mais.
Deixe a velha história de sempre para lá.

Tente fazer isso se puder.

---

* Por acaso, Apatow foi um dos mais bem-sucedidos desses pupilos.

CUIDADO COM O DESEJO

Todo homem tem uma paixão roendo seu coração por dentro, assim como toda fruta tem o seu verme.

— Alexandre Dumas

John F. Kennedy alcançou incontestável grandeza através da quietude naqueles treze dias decisivos em outubro de 1962. O mundo sempre terá uma dívida com ele. Mas não devemos permitir que esse momento brilhante ofusque o fato de que, como todos nós, ele tinha demônios que o atormentavam e o assombravam, que sabotavam essa mesma grandeza — e, portanto, sua quietude.

No lar em que Kennedy cresceu, seu pai frequentemente trazia as amantes para jantar, além de levá-las para as férias em família. Era um núcleo familiar no qual a raiva e a fúria eram comuns também. "Quando odeio um filho da puta", Joseph Kennedy gostava de dizer, "odeio-o até o dia da minha morte." Provavelmente não é nenhuma surpresa, portanto, que seu jovem filho tenha desenvolvido os próprios maus hábitos e uma dificuldade em controlar impulsos e desejos.

A primeira vez que o apetite sexual de Kennedy o meteu em apuros foi durante os primeiros dias da Segunda Guerra Mundial, quando começou a sair com Inga Arvad, uma bela jornalista holandesa suspeita de ser espiã nazista. Durante sua candidatura à presidência, teve um caso com Judith Exner, namorada de Sam Giancana, um mafioso de Chicago. Mas, em vez de sofrer quaisquer consequências por tais indiscrições, Kennedy se safou todas as vezes, um fato que apenas intensificou seu comportamento arriscado.

Kennedy não era nada romântico. As namoradas descreviam seu apetite sexual como insaciável, mas sem alegria. Segundo uma de suas conquistas, o sexo era "apenas uma atividade física e social para ele", uma maneira de se engajar ou evitar o tédio. Ele não se importava com a outra pessoa e, com o tempo, quase não se importava com o prazer que o sexo lhe dava. Como Kennedy disse ao primeiro ministro da Grã-Bretanha num momento de sinceridade muito desconfortável, se ele ficasse alguns dias sem sexo, tinha dores de cabeça. (Seu pai dizia aos filhos que não conseguia dormir se não "comesse alguém.") Considerando o terrível problema nas costas de Kennedy, fazer sexo provavelmente era doloroso — mas ele nunca deixou que isso o detivesse.

Num momento vergonhoso, enquanto forças soviéticas e americanas estavam à beira de uma guerra nuclear durante a Crise dos Mísseis de Cuba, Kennedy levou uma estudante de dezenove anos do Wheaton College para um encontro num hotel perto da Casa Branca. Lá estava um homem que não tinha a menor ideia de quanto tempo de vida lhe restava, que vinha trabalhando com uma dedicação sobre-humana para conter os impulsos perigosos dos inimigos de sua nação em meio à crise... traindo a esposa, escolhendo sexo com uma desconhecida com metade de sua idade em detrimento da família assustada e vulnerável, naqueles que podiam ser seus últimos momentos na Terra.

Isso não parece quietude. E também não parece particularmente glamoroso.

Dá a impressão de um homem que está espiritualmente abalado, sujeito aos caprichos de seus piores impulsos, incapaz de pensar com clareza ou estabelecer prioridades. Mas, antes de condenarmos Kennedy como um viciado ou abusador desprezível, deveríamos olhar para nossos próprios defeitos. Não nos tornamos presas de vários desejos em nossas vidas pessoais? Não sabemos que algo é errado e o fazemos mesmo assim?

A cobiça é uma destruidora da paz em nossa vida: cobiça por uma pessoa bonita. Cobiça por um orgasmo. Cobiça por uma pessoa diferente daquela com quem estamos comprometidos. Cobiça por poder. Cobiça por domínio. Cobiça pelas coisas dos outros. Cobiça pelas coisas mais requintadas, melhores, mais caras que o dinheiro pode comprar.

E isso não está em desacordo com o domínio de si próprio que afirmamos querer?

Uma pessoa escravizada pelos seus desejos não é livre — quer ela seja um encanador ou o presidente.

Quantos grandes homens e mulheres acabam perdendo tudo — e em alguns casos até acabam atrás das grades — porque escolheram satisfazer livremente seus apetites insaciáveis, quaisquer que fossem eles?

E ao menos poder, sexo e atenção são prazerosos. A forma mais comum de cobiça é a *inveja* — a cobiça pelo que os outros têm, pelo simples fato de que elas o têm. Uma frase brilhante de Joseph Epstein diz: "Dos sete pecados capitais, somente a inveja não é nada divertida." Demócrito, 2.400 anos antes dele, afirmara: "Um homem invejoso castiga a si mesmo como a um inimigo."

Ninguém sob a influência da inveja ou do ciúme tem a oportunidade de pensar com clareza ou viver em paz. Como conseguiriam? É um ciclo interminável de sofrimento. Sentimos inveja de uma pessoa, enquanto ela inveja outra. O operário de uma fábrica deseja desesperadamente ser milionário, o milionário inveja a vida simples de quem trabalha das nove às cinco. O famoso deseja poder retornar à vida anônima de que tantos outros abririam mão de bom grado; o homem ou mulher com um parceiro bonito só pensa em alguém um pouco mais bonito. É intrigante pararmos para pensar que nossos invejados podem na realidade sentir inveja de nós.

Há também na inveja uma imaturidade de quem quer tudo. Não desejamos simplesmente o que os outros têm — queremos conservar tudo que temos *e* acrescentar a isso o que pertence aos outros, mesmo que essas coisas sejam excludentes entre si (e, ainda por cima, também queremos que eles *não* o tenham mais.) Mas, se tivesse de trocar de lugar inteiramente com a pessoa que você inveja, se precisasse abandonar seu cérebro, seus princípios, as realizações de que mais se orgulha para viver a vida dela, você o faria? Está disposto a pagar o preço que ela paga para obter o que você cobiça?

Não, não está.

Epicuro, novamente o suposto hedonista, disse certa vez que "o sexo nunca beneficiou nenhum homem, espantoso seria não o prejudicar". Ele inventou um bom teste para qualquer momento em que estivesse sendo atraído por um forte desejo: *O que acontecerá comigo se eu conseguir o que quero? Como me sentirei depois?*

Em essência, a maioria dos desejos são de fato emoções irracionais, e é por isso que a quietude nos exige uma pausa para avaliá-los. Queremos pensar no que ocorrerá após o calor do momento, considerar a inevitável ressaca antes de tomarmos um drinque. Quando fazemos isso, eles perdem parte de seu poder.

Para os epicuristas, o verdadeiro prazer era livre de dor e de agitação. Se querer alguma coisa o torna infeliz enquanto você não a tiver, isso não diminui o real valor da recompensa? Se conseguir o que você "quer" também tem consequências negativas, há nisso prazer de verdade? Se o mesmo impulso que o ajuda a satisfazer o desejo também o leva inevitavelmente ao exagero, há nisso alguma vantagem de fato?

Os que buscam a quietude não precisam se tornar verdadeiros ascetas ou puritanos. Mas podemos parar para compreender o grau de influência e poder que o desejo exerce sobre nós e enxergar além do prazer momentâneo que poderia nos proporcionar —a paz mais profunda que buscamos, da qual ele nos priva.

Pense em quais ocasiões você se sente melhor. Não é quando está consumido pelo desejo. Não é tampouco quando consegue aquilo pelo que ansiou. Há sempre uma pontinha de decepção ou perda no momento da aquisição.

Krishna no Bhagavad Gita chama o desejo de "o inimigo sempre presente do sábio (...) que como um fogo não pode encontrar satisfação". Os budistas personificavam esse demônio na figura de Mara. Diziam que era Mara que tentava seduzir e distrair Buda do caminho da iluminação, da quietude.

Quando Leonardo da Vinci escreveu em seu caderno sobre como retratar a inveja, disse que ela deveria ser mostrada como magra e abatida em razão de seu estado de perpétuo tormento. "Faça seu coração corroído por uma serpente que incha", disse ele, "faça a Inveja cavalgar sobre a morte, porque a Inveja nunca morre." Seria difícil encontrar uma descrição melhor da cobiça também, que Leonardo disse nos pôr "no nível dos animais".

Nenhum de nós é perfeito. Temos organismos ou patologias que vão inevitavelmente nos dar rasteiras. O que precisamos então é de uma filosofia e de um código moral forte — aquele senso de virtude — para nos ajudar a resistir ao que pudermos e para nos dar força para nos reerguermos quando fracassamos e tentarmos agir melhor e ser melhores.

Podemos também nos valer de ferramentas para nos ajudar a resistir a desejos nocivos. São Atanásio de Alexandria escreveu em sua *Vita Antonii* que um dos benefícios de manter diários — Confissões, como os cristãos chamavam o gênero — era que isso o ajudava a prevenir seus pecados. Observando seu próprio comportamento e depois o escrevendo, ele conseguia assumir a responsabilidade por seus atos e tornar-se uma pessoa melhor.

> Vamos cada de um de nós anotar e registrar nossas ações e impulsos espirituais (...) como se devêssemos relatá-los uns aos outros; e podeis estar certos de que pela completa vergonha de nos tornarmos conhecidos pararemos inteiramente de pecar e nutrir pensamentos pecaminosos (...) Assim como não iríamos nos entregar à cobiça à vista uns dos outros, se registrarmos nossos pensamentos como se

contando-os uns para os outros tanto mais nos protegeremos contra pensamentos obscenos por vergonha de ser conhecidos. Agora, portanto, deixai o relato escrito representar os olhos de nossos companheiros ascetas, de modo que, corando ao escrever como se fôssemos realmente vistos, possamos nunca ponderar o mal.

Ter um impulso e resistir a ele, parar e examiná-lo, deixá-lo passar como um mau cheiro — é assim que desenvolvemos força espiritual. É assim que nos tornamos quem queremos ser neste mundo.

Somente aqueles de nós que tenham dedicado algum tempo a explorar, questionar e extrapolar as consequências de nossos desejos têm a oportunidade de superá-los e deter os arrependimentos antes que comecem. Somente eles sabem que o prazer real reside em ter uma alma que é verdadeira e estável, feliz e segura.

O BASTANTE

A história não relata nenhum caso em que um conquistador tenha se fartado de conquistas.

— STEFAN ZWEIG

Os escritores Kurt Vonnegut, autor de *Matadouro-Cinco*, e Joseph Heller, autor de *Ardil-22*, estavam certa vez numa festa num bairro elegante nos arredores da cidade de Nova York. Parado ali na suntuosa segunda casa de algum bilionário maçante, Vonnegut começou a implicar com o amigo. "Joe", disse ele, "como você se sente sabendo que nosso anfitrião só ontem pode ter ganhado mais do que seu romance faturou durante toda a sua existência?"

"Eu tenho uma coisa que ele nunca poderá ter", respondeu Heller.

"E que diabos seria isso?", perguntou Vonnegut.

"A constatação de que o que tenho basta."

Basta. Earl Woods chamava isso de "a palavra que começa com *b*", como se fosse um palavrão. Na realidade, é algo maravilhoso.

Imagine a quietude que essa noção do bastante proporcionava a Joseph Heller e proporciona a todo mundo que a possui. Não há nenhum desejo incessante. Nenhuma insegurança por se comparar aos outros. Sentir-se *satisfeito* consigo mesmo e com seu trabalho? Que bênção!

Dizer a palavra "basta" não é o bastante. É necessário um esforço profundamente espiritual e introspectivo para se compreender o que essa ideia significa — esforço que pode muito bem destruir ilusões e suposições que conservamos durante a vida inteira.

John Stuart Mill, o filósofo e garoto prodígio que antes de chegar à puberdade tinha lido e dominava quase todos os grandes textos clássicos no grego ou latim original, é uma ilustração de como esse processo pode ser aterrorizante. Extremamente motivado (por seu pai e por ele mesmo), um dia, por volta dos vinte anos, Mill parou para pensar, pela primeira vez, nos seus objetivos. Como ele escreve:

> Ocorreu-me fazer a pergunta diretamente a mim mesmo: "Suponha que todos os seus objetivos na vida estivessem realizados; que todas as mudanças nas instituições e opiniões que você deseja pudessem ser concretizadas neste instante mesmo: seria isso uma grande alegria e felicidade para você?" E uma autoconsciência irreprimível respondeu claramente: "Não!" Diante disso meu coração parou dentro de mim: todo o fundamento sobre o qual minha vida estava construída desabou.

O que se seguiu foi um devastador colapso mental que exigiu anos de recuperação. Contudo, Mill provavelmente teve sorte por sofrê-lo tão cedo. A maioria das pessoas *nunca* aprende que, no fim, suas realizações vão frustrar sua expectativa de alívio e a felicidade. Ou as pessoas só chegam a compreender isso depois que muito tempo e dinheiro, muitos relacionamentos e momentos de paz interior, foram sacrificados em nome da realização. Alcançamos a linha de chegada somente para pensar: *Era só isso? E agora?*

É um doloroso impasse. Ou pior, um impasse que ignoramos, engolindo esses sentimentos de crise existencial, empilhando em cima deles um consumo sem sentido, mais ambição e a ilusão de que fazer cada vez mais do mesmo vai acabar produzindo resultados diferentes.

De certa forma, esse é o ônus de uma de nossas virtudes. Ninguém alcança a excelência ou a iluminação sem o desejo de melhorar, sem a inclinação a explorar potenciais áreas de aperfeiçoamento. No entanto, o desejo — ou a necessidade — de alcançar mais está muitas vezes em conflito com a felicidade. Billie Jean King, a grande tenista, falou sobre isso, sobre como a mentalidade que leva um atleta ao topo tantas vezes o impede de desfrutar a coisa pela qual trabalhou tão arduamente. A necessidade de progredir pode ser a inimiga da fruição do *processo*.

Não há quietude para a pessoa que não consegue apreciar as coisas como elas são, sobretudo quando essa pessoa objetivamente conquistou tanto. A ânsia por mais, mais, mais é uma deformidade e funciona como uma hidra. Satisfaça uma — corte-a da lista de desejos — e mais duas crescem em seu lugar.

Os melhores insights sobre *o bastante* vêm do Oriente. "Quando você se dá conta de que nada está faltando", diz Lao

Tsé, "o mundo inteiro lhe pertence." Os versos no *Tao Te Ching*:

> O maior infortúnio é não conhecer a satisfação.
> A palavra calamidade é o desejo de adquirir.
> E assim aqueles que conhecem a satisfação da satisfação estão sempre satisfeitos.

Os filósofos ocidentais tiveram dificuldades tentando encontrar o equilíbrio entre obter mais e estar satisfeito. Epicuro: "Nada é o bastante ao homem para quem o bastante é muito pouco." Thomas Traherne: "Ter bênçãos e apreciá-las é estar no Céu; tê-las e não as apreciar é estar no Inferno (...) Apreciá-las e não as ter é estar no Inferno." E os estoicos, que viviam no mundo material de um império em seu auge, conheciam a verdade sobre o dinheiro. Sêneca tinha montes dele e sabia quão pouco ele se correlacionava com a paz. Sua obra está cheia de histórias de pessoas que foram à ruína e à miséria perseguindo dinheiro de que não precisavam e honras acima de seu quinhão.

Temperança. Essa é a chave. Intelectualmente, sabemos disso. Mas apenas durante insights ou tragédias é que *sentimos* isso.

Em 2010, Marco Rubio estava andando de um lado para o outro nos corredores de casa, dando telefonemas para levantar fundos para sua candidatura surpresa ao senado, quando seu filho de três anos escapuliu sorrateiramente pela porta dos fundos e caiu na piscina. Rubio tinha ouvido a sineta da porta se abrindo, supôs que alguma outra pessoa estivesse prestando atenção e voltou para o telefonema importante. Alguns minutos mais tarde, encontrou o filho flutuando de bruços na piscina, mal conseguindo respirar.

Mesmo depois desse susto, ele voltou quase imediatamente ao trabalho — sua ambição, como a de Lincoln, era "um pequeno motor que não conhecia repouso". Somente com a distância, Rubio pôde começar a ver o preço dessa ambição, as coisas importantes que perdemos quando nos entregamos a ela por inteiro. Como ele escreveu: "Compreendo agora que a inquietude que sentimos quando fazemos nossos planos e perseguimos nossas ambições não é o efeito de sua importância para nossa felicidade e nosso entusiasmo para alcançá-los. Estamos inquietos porque no fundo do coração sabemos que nossa felicidade se encontra em outro lugar, e nosso trabalho, por mais valioso que seja para nós ou para os outros, não pode substituí-la. Mas seguimos com pressa de qualquer modo, nos ocupamos do nosso trabalho porque precisamos ter importância, e nem sempre percebemos que já temos."

Você alguma vez já segurou uma medalha de ouro ou um Grammy ou um anel do Super Bowl? Já viu alguma vez um saldo bancário aproximando-se dos sete dígitos? Talvez sim, talvez você possua essas coisas. Se possui, então sabe: elas são boas, mas não mudam nada. São apenas pedaços de metal, papel sujo no bolso ou placas numa parede. Não são feitas de nada forte ou maleável o bastante para tapar nem mesmo o menor de todos os buracos na alma de uma pessoa. Tampouco estendem a duração de nossa vida sequer por um minuto. Ao contrário, podem encurtá-la!

Além disso, são capazes de tirar a alegria de algo que antes amávamos fazer. O *mais* não faz nada por aquele que se sente *menos do que*, que não consegue enxergar a riqueza que lhe foi dada ao nascer ou que acumulou em seus relacionamentos e experiências. Solucionar seus problemas financeiros é uma meta atingível e pode ser alcançada ganhando e poupando dinheiro. Ninguém poderia afirmar seriamente o contrário. O problema é quando pensamos que essas atividades podem combater a *pobreza espiritual*.

Realização. Dinheiro. Fama. Respeito. Pilhas e mais pilhas deles nunca poderão fazer uma pessoa se sentir satisfeita.

Se acreditar que haverá algum ponto em que você se sentirá "realizado", quando estará finalmente *bem*, você terá uma surpresa desagradável. Ou pior, uma espécie de tortura sisífia na qual, exatamente quando esse sentimento parece estar ao alcance, a meta passa para um local um pouco mais acima na montanha, fora de alcance.

Realizações externas nunca farão você se sentir bem. O *bastante* vem de dentro. Vem de descer do trem. De ver o que você já tem, o que sempre teve.

Se uma pessoa consegue fazer isso, ela é mais rica do que qualquer bilionário, mais poderosa do que qualquer soberano.

No entanto, em vez de tomarmos esse caminho para o poder, escolhemos a ingratidão e a insegurança de precisar de mais, mais, mais. "Estamos aqui como que imersos em água, com a cabeça e os ombros sob os grandes oceanos", disse o mestre zen Gensha, "e ainda assim estamos estendendo nossas mãos para pedir água." Pensamos que precisamos de mais e não nos damos conta de que já temos tanto. Trabalhamos tão arduamente "pelas nossas famílias" que não percebemos a contradição — é por causa do trabalho que nunca as vemos.

Basta.

Ora, há uma preocupação perfeitamente compreensível de que a satisfação será o fim de nossas carreiras — de que, se de algum modo satisfizermos esse desejo, todo o progresso no nosso trabalho e na nossa vida cessará de forma abrupta. *Se todos se sentissem bem, por que continuariam tentando com tanto afinco?* Primeiro, deve ser salientado que essa preocupação está longe de ser o estudo ideal. Ninguém trabalha melhor movido pela ansiedade, e ninguém deveria gerar ansiedade em si mesmo para conseguir continuar fazendo as coisas. Isso não é diligência, é escravidão.

Não fomos postos neste planeta para ser abelhas operárias, compelidos a desempenhar a mesma função em prol da colmeia até o dia de nossa morte. Tampouco "devemos" a ninguém continuar fazendo, fazendo, fazendo — não aos nossos fãs, não aos nossos seguidores, não aos nossos pais que tanto nos deram, nem mesmo às nossas famílias. Exaurir-se não beneficia ninguém.

É perfeitamente possível fazer um bom trabalho com boas intenções. Você pode ser saudável e tranquilo *e* bem-sucedido.

Joseph Heller acreditava que tinha *o bastante*, mas continuava escrevendo. Ele escreveu seis romances depois de *Ardil-22* (quando um repórter o criticou dizendo que ele não tinha escrito nada tão bom quanto seu primeiro livro, Heller respondeu: "Quem escreveu?"), inclusive um grande best-seller. Ele lecionou. Escreveu peças e roteiros de filmes. Era incrivelmente produtivo. John Stuart Mill, depois de seu colapso, apaixonou-se pela poesia, conheceu a mulher que se tornaria sua esposa e começou lentamente a voltar à filosofia política — e acabou por ter um enorme impacto sobre o mundo. De fato, as democracias ocidentais lhe são gratas por muitas mudanças que ele ajudou a promover.

A beleza foi que essas criações e insights vieram de um lugar melhor — *mais tranquilo* — dentro dos dois. Eles não estavam fazendo isso para provar nada. Não precisavam impressionar ninguém. Estavam no agora. Suas motivações eram puras. Não havia nenhuma insegurança. Nenhuma ansiedade. Nenhuma esperança insidiosa e dolorosa de que essa seria a coisa que enfim os faria se sentirem inteiros, que lhes daria o que sempre lhes faltara.

O que mais queremos na vida? Essa é a questão. Não são realizações. Não é popularidade. São momentos em que temos a sensação de ser o bastante.

Mais presença. Mais clareza. Mais insight. Mais verdade. Mais quietude.

BANHE-SE EM BELEZA

Em face do Sublime, sentimos um arrepio... algo demasiado grande para nossas mentes compreenderem. E, por um momento, ele nos acorda da nossa presunção e nos liberta das garras cadavéricas do hábito e da banalidade.

— Robert Greene

Na manhã de quarta-feira, 23 de fevereiro de 1944, Anne Frank foi visitar Peter, o garoto judeu que morava com sua família. Ele subiu para o sótão sobre o anexo em que sua família estivera escondida por dois longos anos, e, depois que Peter terminou suas tarefas, os dois se sentaram no lugar favorito de Anne no chão e olharam pela janelinha para o mundo que tinham sido obrigados a deixar para trás.

Observando o céu azul, a castanheira sem folhas lá embaixo, passarinhos arremetendo e mergulhando no ar, os dois ficavam arrebatados a ponto de ficar sem palavras. Era tão calmo, tão sereno, tão amplo comparado a seus aposentos apertados.

Era quase como se o mundo não estivesse em guerra, como se Hitler não tivesse matado tantos milhões de pessoas e suas famílias não estivessem todo dia sob o risco de se juntarem aos mortos. Apesar de tudo isso, a beleza parecia reinar. "Enquanto isto existir", Anne pensou consigo mesma, "este sol e esse céu sem nuvens, e enquanto eu puder desfrutá-lo, como posso ficar triste?"

Mais tarde ela escreveria em seu diário que a natureza era uma espécie de consolo, uma panaceia para o sofrimento de qualquer pessoa. De fato, quer fosse o florescer da primavera ou a aspereza do inverno, quer fosse em meio à escuridão e à chuva, quando era perigoso demais abrir a janela e ela precisava ficar sentada no calor abafado e sufocante para fazê-lo —, Anne sempre conseguia encontrar na natureza algo para animar seu espírito e se centrar. "A beleza permanece mesmo no infortúnio", escreveu ela. "Basta que você a procure, e descobrirá cada vez mais felicidade e recuperará seu equilíbrio."

Como isso é verdadeiro. E que fonte de paz e força isso pode ser.

As matas virgens. Uma criança sossegada, deitada de bruços, lendo um livro. As nuvens passando sobre as asas de um avião, seus exaustos passageiros pegando no sono. Um homem lendo em seu assento. Uma mulher dormindo. Uma comissária de bordo descansando os pés. As pontas dos dedos rosadas da aurora surgindo sobre a montanha. Uma canção sendo repetida. A batida dessa canção, alinhando-se exatamente com o ritmo dos acontecimentos enquanto andamos pela rua. O prazer de terminar uma tarefa antes do prazo final, a tranquilidade temporária de uma caixa de entrada vazia.

Isso é quietude.

Rose Lane Wilder escreveu sobre contemplar o planalto coberto de grama em Tbilisi, capital da Geórgia:

Aqui havia somente céu, e uma quietude tornada audível pela grama quebradiça. O vazio era tão perfeito ao meu redor que me senti parte dele, vazia eu mesma; houve um momento em que eu não era absolutamente nada — quase absolutamente nada.

O termo para isso é êxtase — uma experiência celestial que nos permite sair de nós mesmos. E esses belos momentos estão disponíveis para nós sempre que os quisermos. Tudo o que temos de fazer é abrir nossas almas para eles.

Há uma história sobre o mestre zen Hyakujo, que foi abordado por dois alunos quando começava suas tarefas matinais na fazenda contígua a seu templo. Quando os alunos lhe pediram para ensiná-los sobre o Caminho, ele respondeu: "Limpem a fazenda para mim, e vou lhes falar sobre o grande princípio do Zen." Depois que eles terminaram seus trabalhos e foram ter com o mestre para a lição, ele simplesmente se virou para olhar os campos, sobre os quais o sol se elevava naquele momento mesmo, estendeu os braços em direção à serena extensão, e não disse nada.

Aquele era o Caminho. A natureza. O solo cultivado. As plantações crescendo. A satisfação do trabalho árduo. A poesia da terra. Como era no começo, como será para sempre.

Não que toda beleza seja tão imediatamente bela. Não estamos sempre na fazenda ou na praia ou contemplando vistas panorâmicas de cânions. É por isso que o filósofo deve cultivar o olhar do poeta — a capacidade de ver beleza em toda parte, mesmo no banal ou no terrível.

Marco Aurélio, supostamente aquele estoico melancólico e depressivo, amava a beleza à sua própria maneira whitmanesca. Por que outra razão ele escreveria de um modo tão vívido que "o pão que coze se racha em certos lugares e essas rachaduras, embora não pretendidas na arte do padeiro, chamam nossa atenção e servem para aguçar nosso apetite", ou o "encanto e sedução" do processo da natureza, as "hastes de grão maduro se curvando, a testa franzida do leão, a espuma pingando da boca do javali"? Mesmo sobre a morte, ele escreve: "Passe por este breve fragmento de tempo em harmonia com a natureza. Chegue com graça a seu lugar final de repouso, assim como uma azeitona madura cai, louvando a terra que a nutriu e grata à árvore que lhe deu crescimento."

O filósofo e o poeta, vendo o mundo da mesma maneira, dedicavam-se ambos à mesma atividade, como disse Tomás de Aquino, o estudo do "fascínio".

Foi Edward Abbey, o ativista ambiental e escritor, que disse que até a própria expressão *vida selvagem* era música. É uma música que podemos ouvir a qualquer momento, onde quer que vivamos, independentemente de como ganhamos a vida. Mesmo que não possamos visitá-la, podemos pensar em perambular pelo chão forrado de pinhas da floresta, em flutuar por um rio lento, no calor de uma fogueira. Ou, como Anne Frank, podemos simplesmente ver uma árvore da nossa janela. Ao fazer isso, ao *perceber*, tornamo-nos vivos para a quietude.

Não é a marca de uma alma saudável encontrar beleza em coisas superficiais — a adulação da multidão, carros de luxo, propriedades enormes, prêmios reluzentes. Nem se sentir infeliz pela feiura do mundo — os críticos e detratores, o sofrimento dos inocentes, feridas, dor e perda. É melhor encontrar beleza em todos os lugares e coisas. Porque ela de fato nos rodeia. E vai nos nutrir se permitirmos.

As pegadas das patas macias de um gato sobre o porta-malas empoeirado de um carro. O vapor quente soprando dos bueiros numa manhã em Nova York. O cheiro de asfalto assim que a chuva começa a cair. O som de uma caneta assinando um contrato que une duas partes. A coragem de um mosquito sugando sangue de um ser humano que pode tão facilmente esmagá-lo. Uma cesta cheia de legumes da horta. Os ângulos retos e duros, recortados pelos caminhões que passam nos galhos das árvores à beira de uma estrada movimentada. Um chão repleto dos brinquedos de uma criança, arrumados pelo caos da diversão exaustiva. Uma cidade organizada da mesma maneira, o acúmulo de centenas de anos de desenvolvimento espasmódico e independente.

Está começando a ver como isso funciona?

É irônico que a quietude seja rara e fugaz em nossas vidas ocupadas, porque o mundo cria uma oferta inesgotável dela. A questão é que ninguém está olhando.

Depois de seu colapso e quase dois anos de luta e depressão resultantes de superestimulação e excesso de estudo, onde John Stuart Mill voltou a encontrar paz pela primeira vez? Na poesia de William Wordsworth. E qual foi a inspiração de tanta da poesia de Wordsworth? A natureza.

Theodore Roosevelt foi enviado para o Oeste por seu médico após a morte da mãe e da esposa para se perder na vastidão das Badlands em Dakota. Sim, Teddy era um caçador, um rancheiro, um homem viril, mas quais eram as suas duas maiores paixões? Sentar-se tranquilamente numa varanda com um livro e *observar aves*. Os japoneses têm um conceito, *shinrin yoku* — banho de floresta —, que é uma forma de terapia que usa a natureza como tratamento para problemas mentais e espirituais. Dificilmente se passava uma semana, mesmo quando ele era presidente, sem que Roosevelt tomasse um banho de floresta de algum tipo.

Como nos sentiríamos mais limpos se tomássemos esses banhos com a mesma frequência com que tomamos duchas quentes. Como seríamos mais presentes se *enxergássemos* o que está à nossa volta.

Banhar é uma palavra importante. Há alguma coisa na água, não é? A visão dela. O som. A sensação. Aqueles que buscam a quietude encontram na água uma maneira maravilhosa de lavar os problemas e a turbulência do mundo. Um mergulho num rio próximo. O borbulhar de uma fonte num jardim zen. O espelho d'água de um memorial em homenagem àqueles que perdemos. Até mesmo, numa emergência, um aparelho de som tocando o barulho das ondas do mar.

Para aqueles abalados por um trauma ou uma profissão estressante, tanto quanto aqueles que sofrem do tédio da vida moderna, o professor John Stilgoe tem um conselho simples:

> Saia agora. Não apenas para o ar livre, mas para além da armadilha da era eletrônica programada, que se fecha tão suavemente em torno de tantas pessoas (...) Vá para fora, mexa-se deliberadamente, depois relaxe, desacelere, olhe em volta. Não faça caminhada. Não corra (...) Em vez disso, preste atenção a tudo que faz limite com a estrada no campo, a rua na cidade, o bulevar nos subúrbios. Ande. Passeie. Vagueie. Suba numa bicicleta e avance muito sem fazer esforço. Explore.

Há uma paz nisso. Ela está sempre disponível para você.

Não deixe a beleza da vida lhe escapar. Veja o mundo como o templo que ele é. Deixe cada experiência ser como a de uma igreja. Maravilhe-se com o fato de que tudo isso existe — de que *você* existe. Podemos parar e nos banhar na beleza que nos cerca, sempre.

Deixe que ela o acalme. Deixe que ela o limpe.

ACEITE UM PODER SUPERIOR

"*A mediocridade não conhece nada superior a si mesma.*"

— Arthur Conan Doyle

Há quase cem anos, um dos passos mais difíceis do programa de doze da "recuperação" — originalmente criado para combater o alcoolismo — não é apresentar um corajoso inventário moral dos próprios defeitos ou fazer reparações. Não é admitir que você tem um problema, encontrar um padrinho ou comparecer às reuniões.

O passo em que muitos dependentes — particularmente aqueles que se consideram *pensadores* — encontram grande dificuldade é o reconhecimento da existência de um *poder superior*. Eles simplesmente não querem admitir que "acreditar em um poder maior que eles mesmos poderia devolvê-los à sanidade".

Esse passo aparentemente simples é difícil, não porque o mundo se tornou cada vez mais laico desde a fundação dos Alcoólicos Anônimos, em 1935. Na verdade, um dos fundadores do AA era, em suas palavras, "um agnóstico militante". Reconhecer um poder superior é difícil porque se submeter a qualquer coisa além dos próprios desejos é um anátema para "o egocentrismo patológico do vício", conforme um dependente descreveu.

"Eu não acredito em Deus" é a objeção mais comum ao Passo 2. "Não há nenhuma evidência de um poder superior", dizem. "Veja a evolução. Veja a ciência." Ou podem questionar a relação disso tudo com a sobriedade. Será que eles não podem simplesmente parar de usar drogas e seguir os outros passos? "O que religião ou fé tem a ver com a questão?"

Essas perguntas são perfeitamente razoáveis. E, no entanto, elas não têm importância.

Porque o Passo 2 na verdade não tem a ver com Deus. Tem a ver com *rendição*. Com fé.

Lembre-se, a única maneira de se recuperar da vontade obstinada — a força que Awa Kenzo acreditava que fazia todos nós errarmos os alvos que miramos — é se soltar, no nível profundo, da alma.

Embora o vício seja sem dúvida uma doença biológica, ele é também, num sentido mais prático, um processo de tornar-se obcecado pelo próprio eu e pela primazia dos próprios desejos e pensamentos. Portanto, admitir que há alguma coisa maior do que você é um avanço importante. Significa que um dependente enfim compreendeu que ele não é Deus, que ele não está no controle e nunca esteve de fato. Aliás, *nenhum* de nós está.

O processo de doze passos não é transformador em si. É a decisão de parar e escutar e *seguir* que faz todo o trabalho.

Se você realmente prestar atenção nos ensinamentos, os Alcoólicos Anônimos não dizem que você tem de acreditar em Jesus ou frequentar a igreja. Apenas aceitar "Deus como nós o compreendemos". Isso significa que, se você quiser acreditar na Mãe Terra, na Providência, no Destino, na Sina, ou na Sorte Aleatória, isso é com você.

Para os estoicos, seu poder superior era o *logos* — o caminho do universo. Eles reconheciam o poder que a sina e o acaso tinham sobre eles. E, ao reconhecerem esses poderes superiores, tinham acesso a uma espécie de quietude e paz (sobretudo porque isso significava menos batalhas a travar por controle!) que os ajudava a governar impérios, a sobreviver à escravidão ou ao exílio, e por fim até a enfrentar a morte com grande compostura. Na filosofia chinesa, o *tao* — o Caminho — é a ordem natural do universo, a trajetória de um espírito superior. Os gregos não só acreditavam em muitos deuses diferentes, mas também que os indivíduos eram acompanhados por um *daemon*, um guia espiritual que os conduzia para seu destino.

Os confucianistas acreditavam em Tian, 天 — um conceito de céu que guiava o ser humano encarnado na Terra e lhe atribuía um papel ou objetivo na vida. Os hindus acreditavam que Brahma era a realidade universal mais elevada. No judaísmo, Javé (יהוה) é a palavra para Senhor. Cada uma das principais tribos nativas americanas tinha sua própria palavra para o Grande Espírito, que era seu criador e divindade orientadora. Epicuro não era ateu, mas rejeitava a ideia de um deus autoritário ou julgador. Que divindade ia querer que o mundo vivesse com medo? Viver com medo, disse ele, é incongruente com a *ataraxia*.

Quando Krishna fala da "mente repousando na quietude da prece da ioga", é a mesma coisa. Os cristãos acreditam que Deus é essa fonte de quietude em nossas vidas, que estende paz e conforto para nós como um rio. "Paz! Aquietai-vos!", Jesus disse às ondas do mar, "e o vento cessou e houve uma grande calmaria."

Não há quietude para a mente que não pensa em nada senão em si mesma, nem haverá paz para o corpo e o espírito que seguem todos os seus impulsos e não valorizam nada exceto a si mesmos.

O progresso da ciência e da tecnologia é essencial. Mas, para muitos de nós, modernos, ele veio à custa da perda da capacidade de fascínio e de reconhecer forças acima de nossa compreensão. Ele nos privou da capacidade de ter acesso à quietude espiritual e à devoção.

Podemos realmente dizer que um simples camponês que acreditava devotamente em Deus, que louvava diariamente numa bela catedral que lhe parecia uma maravilhosa glória à grandeza do Espírito Santo, estava numa situação pior que a nossa porque lhe faltava nossa tecnologia ou uma compreensão da evolução? Se disséssemos a um zen-budista do Japão no século XII que no futuro todos poderiam contar com mais riqueza e vidas mais longas, mas que na maioria dos casos essas dádivas seriam acompanhadas por um sentimento de total falta de propósito e insatisfação, você acha que ele gostaria de trocar de lugar conosco?

Porque isso não me parece progresso.

Em seu discurso de formatura aos alunos de Harvard em 1978, Aleksandr Soljenítsin falou de um mundo moderno, onde todos os países — tanto capitalistas quanto comunistas — tinham sido impregnados por uma "consciência humanística desespiritualizada e irreligiosa".

Para tal consciência, o homem é a pedra de toque para julgar tudo sobre a Terra — o homem imperfeito, que nunca está livre do orgulho, do egoísmo, da inveja, da vaidade e de dezenas de outros defeitos. Estamos agora vivenciando as consequências de erros que não tinham sido notados no início da jornada. No caminho do Renascimento até os nossos dias, enriquecemos nossa experiência, mas perdemos o conceito de uma Entidade Completa Suprema que costumava restringir nossas paixões e nossa irresponsabilidade. Depositamos demasiada esperança em reformas políticas e sociais, somente para descobrir que estávamos sendo privados de nosso bem mais precioso: nossa vida espiritual.

Realismo é importante. Pragmatismo, cientificismo e ceticismo também são. Todos eles têm seu lugar. Mas, ainda assim, você tem de acreditar em *alguma coisa*. Simplesmente tem. Senão tudo é vazio e frio.

O comediante Stephen Colbert sobreviveu a uma infância trágica ao se ater a uma fé católica profunda e sincera, que mantém até hoje (seguiu dando aulas na escola dominical durante uma boa parte de sua carreira no show business). Sua mãe, que suportou o pior impacto dessa tragédia quando perdeu o marido e dois filhos num desastre de avião, foi seu exemplo. "Tente enxergar este momento à luz da eternidade", ela lhe dizia. *Eternidade*. Algo maior do que nós. Algo maior do que podemos compreender. Algo mais longo do que nossa minúscula perspectiva humana naturalmente considera.

Poderíamos encontrar uma história semelhante para quase todas as fés.

Não deve ser coincidência que, quando olhamos para trás e nos maravilhamos com a incrível adversidade e inimaginável dificuldade que as pessoas superaram ao longo da história, tendemos a descobrir que todas tinham uma coisa em comum: alguma espécie de crença numa força superior. Uma âncora em suas vidas chamada fé. Elas acreditavam que uma mão infalível descansava sobre o leme, e que havia algum propósito ou sentido profundo por trás de seu sofrimento, mesmo que não conseguissem entendê-lo. A vasta maioria das pessoas que fizeram bem no mundo também acreditava.

O reformista Martinho Lutero foi chamado perante um tribunal que exigiu que ele abjurasse sua crença, sob ameaça de denúncia e possivelmente morte. Ele passou horas em oração enquanto esperava sua vez de testemunhar. Inspirou. Esvaziou sua mente de preocupação e medo. Falou: "Não posso e não vou me retratar, pois é perigoso para um cristão falar contra sua consciência. Aqui me detenho, não posso fazer outra coisa. Que Deus me ajude. Amém."

Não é interessante que os líderes que são de fato testados por tempos turbulentos acabem confiando sinceramente em alguma medida de fé e crença que lhes permita sobreviver a tempos difíceis?

Vejamos a história de Lincoln. Como muitos jovens inteligentes, ele era ateu no início da vida, mas as provações da maturidade, sobretudo a perda de seu filho e os horrores da Guerra Civil, o transformaram em crente. Kennedy passou a maior parte da vida desprezando o catolicismo de seus pais... mas aposto que ele estava rezando quando enfrentou a ameaça de aniquilação nuclear.

Aqui me detenho, não posso fazer outra coisa. Que Deus me ajude.

O niilismo é uma estratégia frágil. Por quê? Porque o niilista é obrigado a lutar com a imensa complexidade, dificuldade e vazio potencial da vida (e da morte) usando nada senão sua própria mente. O que é uma disparidade comicamente injusta.

Mais uma vez, quando vários sábios da história concordam em algo, deveríamos fazer uma pausa e refletir. Um grande número de escolas filosóficas da antiguidade fala sobre um poder superior (ou poderes superiores). Não porque tinham "evidências" de sua existência, mas porque sabiam como a fé e a crença eram poderosas, como eram essenciais para a concretização da quietude e da paz interior.

O fundamentalismo é diferente. Epicuro estava certo — se Deus existe, por que iria querer que você temesse a ele ou ela? E por que iria se importar com as roupas que você usa ou com quantas vezes você lhe presta obediência por dia? Que interesse teria por monumentos ou por temerosos pedidos de perdão? No nível mais puro, a única coisa que interessa a qualquer pai ou mãe — ou qualquer criador — é que seus filhos encontrem paz, encontrem sentido, encontrem propósito. Ele ou ela certamente não nos pôs neste planeta para que julgássemos, controlássemos ou matássemos uns aos outros.

Mas esse não é o problema com que a maioria de nós está lidando. Em vez disso, lutamos com o ceticismo, com um egocentrismo que nos põe no centro do universo. É por isso que a frase do filósofo Nassim Taleb é tão precisa: *Não é que precisemos acreditar que Deus é grande, somente que alguma coisa é maior do que nós.*

Mesmo que sejamos os produtos de evolução e aleatoriedade, isso não nos leva de imediato de volta à posição dos estoicos? Estando sujeitos às leis da gravidade e da física, não estamos aceitando desde já um poder superior?

Temos tão pouco controle sobre o mundo à nossa volta, tantos eventos criaram este mundo que ele funciona quase exatamente como se houvesse um deus.

O propósito dessa crença é de alguma forma sobrepor-se à mente. Acalmá-la, pondo-a em verdadeira perspectiva. A linguagem comum para a aceitação de um poder superior diz respeito a "deixar que [Ele ou Ela ou Isso] entre em seu coração". É isso. Tem a ver com rejeitar a tirania de nosso intelecto, de nossa experiência observacional imediata, e aceitar algo maior, algo além de nós mesmos.

Talvez você não esteja pronto para fazer isso, para deixar qualquer coisa entrar em seu coração. Tudo bem. Não há pressa.

Saiba apenas que esse passo está aberto para você. Está esperando. E ajudará a devolvê-lo à sanidade quando você estiver pronto.

ENTRE EM RELACIONAMENTOS

Não há como desfrutar a posse de nada valioso a menos que se tenha alguém com quem compartilhá-lo.

— Sêneca

Depois que seu primeiro casamento desmoronou nos anos 1960, o compositor Johnny Cash se mudou do sul da Califórnia para o Tennessee. Na primeira noite em sua nova casa, solitário e deprimido, ele começou a andar de um lado para o outro no térreo. Era uma casa enorme, quase sem móveis, encravada entre um morro íngreme de um lado e o lago Old Hickory do outro. Enquanto caminhava de um extremo da casa ao outro, da vista do morro até a do lago, Cash começou a sentir, quase freneticamente, que faltava alguma coisa.

O que está faltando?, pensou. *Onde está?*, repetiu ele, muitas e muitas vezes. Tinha esquecido de pôr alguma coisa na mala? Havia alguma coisa que precisava fazer? O que não estava certo?

De repente, a resposta lhe ocorreu. Não era *alguma coisa*, era *alguém*. Sua filha pequena, Rosanne. Ela não estava ali.

Estava na Califórnia com a mãe. Uma casa sem família não é um lar. Johnny Cash parou, começou a gritar o nome dela o mais alto que podia, caiu no chão e chorou.

Em certo sentido, pode parecer que esse é exatamente o tipo de angústia que certas filosofias nos ajudam a evitar, mediante o cultivo do desapego e da indiferença em relação aos outros. Se você não se torna dependente de ninguém, se não fica vulnerável, nunca poderá perder essa pessoa e nunca se magoará.

Há pessoas que tentam viver dessa maneira. Elas fazem votos de castidade, de solidão ou, ao contrário, tentam reduzir os relacionamentos a uma forma mais transacional ou mínima. Ou, por terem sido feridas antes, erguem muros. Ou, por serem muito talentosas, dedicam-se exclusivamente ao trabalho. É necessário, afirmam, porque elas têm uma vocação mais elevada. O Buda, por exemplo, abandonou a mulher e o filho pequeno sem sequer dizer adeus, porque a iluminação era mais importante.

Sim, cada indivíduo deve fazer as escolhas de vida que são corretas para si. Ainda assim, há algo profundamente equivocado — e terrivelmente triste — em levar uma vida solitária.

É verdade que relacionamentos demandam tempo. Eles também nos expõem e distraem, nos causam dor e custam dinheiro.

Mas também não somos nada sem eles.

Relacionamentos ruins são comuns, e relacionamentos saudáveis são difíceis. Isso deveria nos surpreender? Estar próximo de outras pessoas e nos conectar com elas desafia cada faceta de nossa alma.

Sobretudo quando nossa criança interior está ali, comportando-se mal. Ou quando somos atraídos pela cobiça e pelo desejo. Ou quando nosso egoísmo dá pouco espaço para outra pessoa.

As tentações do mundo nos levam para o mau caminho, e nosso mau humor magoa aqueles que amamos.

Um bom relacionamento requer que sejamos virtuosos, fiéis, presentes, empáticos, generosos, abertos e estejamos dispostos a ser parte de um todo maior. Para que haja crescimento, ele precisa de uma entrega real.

Ninguém diria que é fácil.

Mas enfrentar esse desafio — ou mesmo só tentar enfrentá-lo — nos transforma... se nós o permitirmos.

Qualquer pessoa pode ser rica ou famosa. Só você pode ser o *papai* ou a *mamãe* ou a *filha* ou o *filho* ou a *alma gêmea* das pessoas que fazem parte da sua vida.

Relacionamentos assumem muitas formas. Mentor. Protegido. Pai. Filho. Cônjuge. Melhor amigo.

E, mesmo que, como alguns afirmaram, manter esses relacionamentos reduza o sucesso material ou criativo, poderia a troca valer a pena?

"Quem é que desejaria estar cercado por todas as riquezas no mundo e desfrutar de toda a abundância na vida, e no entanto não amar ou ser amado por ninguém?", foi a pergunta de Cícero cerca de dois mil anos atrás, mas que ecoa até nós, eternamente verdadeira.

Mesmo exemplos de quietude têm dificuldades com os efeitos que o vínculo e a dependência poderiam ter em suas carreiras. Marina Abramović deu uma entrevista polêmica em 2016 em que explicou sua escolha de permanecer solteira e não ter filhos. Isso teria sido um desastre para sua arte, disse ela. "Só temos uma energia limitada no corpo, e eu teria de dividi-la."

Tolice.

Tolice que foi internalizada por inúmeras pessoas motivadas e ambiciosas.

Como seria bom se elas dessem uma olhada, mesmo que superficial, na história e na literatura. A chanceler alemã Angela Merkel foi incansavelmente apoiada pelo marido, um homem que ela descreveu como vital para seu sucesso, e afirmou depender de seus conselhos. Gertrude Stein foi incansavelmente apoiada por sua parceira de vida, Alice B. Toklas. Madame Curie foi durante muito tempo cética em relação ao amor, até que encontrou Pierre, com quem se casou, colaborou e por fim ganhou um prêmio Nobel. Que dizer da dedicatória de A liberdade, a maior obra de John Stuart Mill, em que ele chama sua esposa de "inspiradora, e em parte autora, de tudo que é melhor em meus escritos"? O rapper J. Cole disse que a melhor coisa que já fez como músico foi se tornar marido e pai: "Eu não poderia ter optado por algo melhor que a disciplina que impus a mim mesmo, a responsabilidade de ter outro ser humano — minha esposa —a quem devo responder."

É melhor não buscar a quietude sozinho. E, como o sucesso, ela é melhor quando compartilhada. Todos nós precisamos de alguém que nos entenda melhor do que nós mesmos, nem que seja apenas para nos manter na linha.

Relacionamentos não são um truque para aumentar a produtividade, embora compreender que amor e família não são incompatíveis com *nenhuma* carreira seja um grande avanço. De fato, a decisão mais importante que você pode tomar na vida, no âmbito profissional *e* pessoal, é encontrar um companheiro que o complemente, o apoie e o ajude a ser melhor, e para quem você faça o mesmo. Por outro lado, escolher parceiros e amigos que façam o oposto é um risco tanto para a carreira quanto para a felicidade.

A vida sem relacionamentos, focada unicamente nas realizações, é vazia e sem sentido (além de ser precária e frágil). Uma vida que gire apenas em torno do trabalho e dos afazeres é extremamente desequilibrada; de fato, a pessoa que vive assim precisa se manter o tempo todo em movimento, ocupando-se para não desmoronar.

O escritor Philip Roth falou com orgulho no final da vida sobre viver sozinho, sobre não ter responsabilidade e comprometimento com nada exceto suas próprias necessidades. Certa vez ele disse numa entrevista que seu estilo de vida implicava em estar sempre de prontidão para o trabalho, sem esperar ou agradar ninguém exceto ele mesmo. "Sou como um médico num pronto-socorro", disse ele. "E eu sou a emergência."

Talvez essa seja a coisa mais triste que alguém já falou sem se dar conta disso.

Dorothy Day, a freira católica, falou da *longa solidão* que todos nós experimentamos, uma forma de sofrimento para a qual a única solução é o amor e os relacionamentos. No entanto, algumas pessoas infligem isso a si mesmas de propósito! Elas se privam do paraíso que é ter uma pessoa com quem nos importarmos e que também se importa conosco.

O mundo lança tantos furacões sobre nós. Os que decidiram passar sua existência como uma ilha são os mais expostos e os mais devastados pelas tempestades e turbilhões.

Em 11 de setembro de 2001, Brian Sweeney era um passageiro preso no voo 175 da United Airlines, que tinha sido sequestrado e avançava diretamente para a Torre Sul do World Trade Center. Ele ligou para a esposa usando um dos telefones do avião para dizer que as coisas não iam bem. "Quero que você saiba que eu te amo completamente", disse ele no correio de voz. "Quero que você faça o bem, se divirta, e o mesmo para meus pais. Nos encontraremos quando você chegar aqui."

Imagine o terror daquele momento... No entanto, ao ouvirmos a voz dele pelo telefone, não há nenhum vestígio de medo. A mesma serenidade é encontrada na última carta escrita pelo major Sullivan Ballou em 1861, na qual mesmo dias antes que seu regimento federal partisse para Manassas, Virgínia, ele transparecia seu pressentimento de que morreria em batalha. "Sarah", escreveu ele, "meu amor por você é imortal. Ele parece me amarrar com nós poderosos, que nada senão a Onipotência pode desatar; e, ainda assim, meu amor pela pátria se apossa de mim como um vento forte e me carrega irresistivelmente com todas essas correntes para o campo de batalha. As lembranças de todos os momentos felizes que passei com você amontoam-se sobre mim, e sinto-me profundamente grato a Deus e a você por tê-los desfrutado por tanto tempo."

Fiódor Dostoiévski certa vez descreveu sua mulher, Anna, como uma rocha na qual podia se apoiar e descansar, um muro que não o deixaria cair, que o protegia do frio. Não há melhor descrição do amor, entre cônjuges ou amigos ou pais e filhos, do que essa. O amor, disse Freud, é o *grande educador*. Aprendemos ao ofertá-lo. Aprendemos ao recebê-lo. Chegamos mais perto da quietude por meio dele.

Como toda boa educação, ele não é fácil. Nada fácil.

Foi dito que a palavra "amor" se escreve T-E-M-P-O. Ela se escreve também T-R-A-B-A-L-H-O e S-A-C-R-I-F-Í-C-I-O e D-I-F-I-C-U-L-D-A-D-E, C-O-M-P-R-O-M-I-S-S-O e ocasionalmente L-O-U-C-U-R-A.

Mas ela é sempre pontuada por R-E-C-O-M-P-E-N-S-A. Mesmo os amores que terminam.

A quietude de duas pessoas sentadas lado a lado na varanda, a quietude de um abraço, de uma última carta, de uma lembrança, de um telefonema antes de um desastre de avião, de passá-lo adiante, de ensinar, de aprender, de estar *juntos*.

A ideia de que o isolamento, de que focar totalmente em si próprio, o levará a um estado supremo de iluminação, não é apenas incorreta, como também deixa escapar o óbvio: quem se importará com tudo o que você fez? Sua casa pode ser mais silenciosa sem crianças e pode ser mais fácil trabalhar mais horas sem alguém à sua espera na mesa de jantar, mas é um silêncio oco e uma facilidade vazia.

Passar nossos dias sem zelar por ninguém a não ser nós mesmos? Pensar que podemos ou devemos fazer isso totalmente sozinhos? Acumular maestria ou genialidade, riqueza ou poder, unicamente em nosso próprio benefício? Qual é o sentido disso?

Sozinhos, somos uma fração do que podemos ser.

Sozinhos, alguma coisa está faltando, e, pior, nós *sentimos* isso em nossos ossos.

É por isso que a quietude precisa de outras pessoas; na verdade, ela é *para* outras pessoas.

DOMINE SUA RAIVA

Melhor é o homem paciente do que o guerreiro, mais vale controlar o seu espírito do que conquistar uma cidade.

— Provérbios 16:32

Em 2009, Michael Jordan foi admitido no Hall da Fama do Basquete. Essa conquista coroou uma carreira magnífica que incluiu seis títulos da NBA, catorze participações no All-Star Game, duas medalhas de ouro olímpicas e a maior média de pontuação na história do esporte.

Ao subir ao palco num terno prata, com seu característico brinco de argola numa orelha só, Michael estava em lágrimas desde o início. Ele brincou dizendo que seu plano inicial tinha sido simplesmente aceitar a homenagem, agradecer e em seguida voltar para o seu lugar. Mas não conseguiu.

Ele tinha algo a dizer.

O que se seguiu foi um discurso estranho e surreal em que Michael Jordan, um homem que não precisava provar nada para ninguém e com tanto pelo que ser grato, passou quase meia hora listando e respondendo a cada desfeita que havia recebido na carreira. De pé no palco, num tom que fingia leveza, mas claramente cheio de ressentimento e raiva, ele se queixou dos detratores da mídia e de como seu técnico na faculdade na Carolina do Norte, Dean Smith, não o havia exaltado como um calouro promissor numa entrevista à *Sports Illustrated* em 1981. Chegou a mencionar quanto tinha gastado em entradas para seus filhos para a cerimônia.

Após alguns comentários agradáveis sobre sua família, Jordan chamou atenção para um homem na plateia chamado Leroy Smith, o jogador que tinha ocupado o lugar dele cerca de 31 anos antes. Jordan sabia que muita gente pensava que sua eliminação no ensino médio era um mito. "Leroy Smith era um cara que, quando eu fui cortado, entrou no time — no time da escola — e ele está aqui esta noite", explicou Michael. "Ele continua sendo o mesmo sujeito de dois metros de altura — não é maior do que isso —, e provavelmente seu jogo é mais ou menos o mesmo. Mas ele deu início ao meu processo, porque, quando ele entrou no time e eu não, eu quis provar não só para ele, não só para mim mesmo, mas para o treinador que escolheu Leroy e não a mim, eu queria ter certeza de que você entendeu — você cometeu um erro, cara."

Isso é uma notável porta de entrada para a mente de Michael, por várias razões. Em primeiro lugar, mostra como ele tinha distorcido as coisas, vendo uma decisão previsível como uma grande afronta à sua autoestima. Jordan não tinha sido *cortado* de time nenhum. Ele e Leroy tinham disputado uma única vaga no time do ensino médio. Um tinha conseguido. Isso não é ser "cortado" — é normal que um calouro não consiga entrar no time do último ano! Tampouco isso havia sido um referendo sobre suas capacidades. Leroy tinha dois metros. Michael tinha 1,80 metro na época. Além disso, indica também um egocentrismo infantil. Como se Leroy e seu treinador não fossem pessoas com vidas próprias, um colega de time por quem ele poderia ter ficado feliz, um mentor com quem poderia ter aprendido.

No entanto, ao longo de décadas, Jordan escolhera ficar zangado por causa disso.

Foi quase palpável o quanto a plateia ficou desconfortável à medida que as queixas se tornaram cada vez mais pessoais e insignificantes. Em certa altura, Michael mencionou um comentário que Jerry Krause fez em 1997, supostamente dizendo que "organizações vencem campeonatos", não os jogadores sozinhos. Desdenhando dessa observação de menor importância — mas verdadeira — do diretor-geral do Bulls, Michael explicou que havia deixado de convidar Krause para a cerimônia em retaliação. Mencionou com orgulho a ocasião em que expulsou Pat Riley, o técnico do Lakers, do Knicks e mais tarde do Heat, de uma suíte de hotel no Havaí porque queria ficar nela.

Os amigos compreenderam que a intenção de Michael era que o discurso fosse útil. Em vez de proferir algumas banalidades, ele quis mostrar exatamente do que era formada a mentalidade de um campeão. Como foi difícil. O que foi necessário. Ele quis ilustrar como a raiva podia ser produtiva — como, na condição de jogador, cada vez que ele recebeu uma desfeita, cada vez que foi subestimado, cada vez que alguém não fez as coisas à maneira *dele*, isso o tornou um jogador melhor.

O problema foi que ele transmitiu quase o oposto para todos.* Sim, ele tinha mostrado que a raiva é um combustível poderoso. Tinha mostrado também quanto é provável que ela exploda bem em cima de você e das pessoas à sua volta.

Houve sem dúvida momentos na carreira de Jordan em que o ressentimento o favorecera e o fizera jogar melhor. Era também uma espécie de loucura que feria a ele e a seus colegas de time (como Steve Kerr, Bill Cartwright e Kwame Brown, com os quais brigou fisicamente ou repreendeu). Isso tinha destruído cruelmente a autoconfiança de oponentes como Muggsy Bogues ("Jogue logo, seu anão de merda!", ele diria a seu adversário de 1,60 quando este estava prestes a fazer um arremesso nas eliminatórias de 1995). Durante um treino em 1989, Jordan desferiu uma cotovelada brutal que deixou um novato chamado Matt Brust inconsciente, o que acabou com as esperanças do sujeito de ter uma carreira na NBA.

O jogo de Michael Jordan era lindo, mas sua conduta era frequentemente selvagem e terrível.

Será que a raiva foi realmente o segredo dos títulos de Michael Jordan? (Teria sua raiva garantido para ele aquele lugar no time do ensino médio no ano seguinte... ou crescer dez centímetros ajudou?) Teria sido ela na verdade uma consequência parasita que o impediu de desfrutar o que realizou? (Tom

---

* Todos, isto é, com exceção de Tiger Woods, que disse a seu técnico: "Eu entendo. É isso que é preciso para ser tão bom quanto MJ. Você está sempre encontrando maneiras de se forçar a ir em frente." Jordan também foi parcialmente responsável por introduzir Woods ao mundo das apostas em Las Vegas.

Brady acumulou muitas vitórias sem ser cruel nem destilar raiva.)

Se a história servir como indício, líderes, artistas, generais e atletas que são movidos principalmente pela raiva tendem a fracassar após certo tempo. Mesmo quando não fracassam, é comum se sentirem infelizes. Sem um pingo de autoconsciência, Nixon — que odiava os egressos da Ivy League, odiava repórteres, odiava judeus e tantas outras pessoas — disse estas nobres palavras a seus leais funcionários em suas últimas horas na Casa Branca: "Lembrem-se sempre, outras pessoas podem odiá-lo, mas aqueles que o odeiam não vencem a menos que você os odeie. E então você se destrói."

Ele estava certo. Sua própria ruína provou isso.

Os líderes que respeitamos de verdade, que se destacam entre os demais, foram motivados por mais do que raiva ou ódio. De Péricles a Martin Luther King Jr., percebemos que grandes líderes são impelidos por amor. Pátria. Compaixão. Destino. Reconciliação. Maestria. Idealismo. Família.

No caso do próprio Jordan, ele era inspirador não quando estava tentando superar alguém, mas quando estava jogando por *amor ao jogo*. E seus anéis vieram todos sob a tutela e o treinamento de Phil Jackson, conhecido no basquete como o "Mestre Zen".

Seria injusto dizer que Michael Jordan era tão angustiado ou atormentado quanto Richard Nixon, ou que era inteiramente desprovido de alegria ou felicidade. Ainda assim, o discurso é impressionante. Ele tinha trancado tanta raiva e dor num armário em sua alma que, em determinado momento, as portas não puderam mais contê-las e os problemas se derramaram.

O argumento de Sêneca era que a raiva acaba nos impedindo de alcançar o objetivo que buscamos, seja ele qual for. Embora ela possa nos ajudar temporariamente a alcançar sucesso na área em que escolhemos atuar, no longo prazo ela é destrutiva. Qual o propósito da excelência se não nos torna satisfeitos, felizes, realizados? É um estranho pacto que vencer, como Jordan ilustrou, exija que lembremos constantemente dos tempos em que éramos levados a nos sentir como perdedores. A recompensa por tornar-se um dos melhores do mundo não deveria ser viver com uma ferida aberta, um gatilho que é puxado mil vezes por dia.

E o que dizer das pessoas cuja raiva mais se parece com uma explosão do que com um aumento gradual de temperatura? Sêneca mais uma vez:

> Não há nada mais estupidificante que a raiva, nada mais dirigido para sua própria força. Se bem-sucedida, nada mais arrogante; se frustrada, nada mais louco — já que não é repelida pelo cansaço mesmo na derrota; quando a sorte remove seu adversário, ela volta seus dentes contra si mesma.

A raiva é contraproducente. O lampejo de raiva aqui, uma explosão em face da incompetência à nossa volta ali — isso pode gerar um momento de motivação bruta ou mesmo um sentimento de alívio, mas raramente calculamos a frustração que esses arroubos causam mais adiante. Mesmo que nos desculpemos ou que o bem que fazemos supere o mal, o dano permanece — e as consequências também. A pessoa com quem gritamos é agora uma inimiga. A gaveta que quebramos num ataque é agora um constante aborrecimento. A pressão arterial alta, o coração sobrecarregado, aproximando-nos do ataque que nos levará para o hospital ou para o túmulo.

Podemos fingir que não ouvimos ou não vimos coisas que eram destinadas a ofender. Podemos nos mover lentamente, dando às emoções extremas tempo para se dissiparem. Podemos evitar situações e pessoas (e até cidades inteiras) em que tendemos a ficar contrariados ou chateados. Quando sentimos nossa raiva escalonando, precisamos procurar pontos de inserção (o espaço entre estímulo e resposta). Pontos em que possamos nos levantar e ir embora. Em que possamos dizer "Estou ficando transtornado com isso e gostaria de não perder a calma", ou "Isso não tem importância e não vou me ater a isso." Podemos pensar até nos versos de Mr. Rogers sobre raiva:

É ótimo ser capaz de parar,
Quando você planejou uma coisa que é errada,
E ser capaz de fazer alguma outra coisa
E pensar esta balada*

Por mais tola que esta letra possa nos parecer no momento em que a raiva começa a crescer, ela é algo pior do que um adulto perdendo a calma por causa de uma pequena desconsideração? É pior do que dizer ou fazer algo que nos deixará obcecados, talvez até para sempre?

Não que a minimização do arrependimento seja o objetivo do controle de nossa raiva, embora ela seja um fator importan-

---

* It's great to be able to stop / When you've planned a thing that's wrong, / And be able to do something instead / And think this song

te. O principal é que as pessoas movidas pela raiva não são felizes. Não são tranquilas. Elas prejudicam a si mesmas. Encurtam legados e frustram as próprias metas.

Os budistas acreditavam que a raiva era uma espécie de tigre dentro de nós, cujas garras rasgam o corpo que o abriga. Para ter uma chance de vivenciar a quietude — e o pensamento claro e a visão abrangente que a definem —, precisamos domar esse tigre antes que ele nos mate. Temos de tomar cuidado com o desejo, mas *dominar* a raiva, porque a raiva fere não só a nós mesmos, mas muitas outras pessoas também. Embora os estoicos sejam frequentemente criticados por suas regras e disciplina rígidas, isto é de fato o que eles buscam: uma dignidade interior e uma retidão que proteja a eles e a seus entes queridos de paixões perigosas.

Claramente, o basquete era um refúgio para Michael Jordan, um jogo que ele amava e que lhe proporcionava muita satisfação. Mas, na busca de vitória e dominância, Michael também o converteu numa espécie de ferida aberta, que parecia nunca parar de sangrar e causar dor. Uma ferida que provavelmente lhe custou anos de vitórias a mais, bem como a chance de simplesmente usufruir uma noite especial no Hall da Fama em Springfield, Massachusetts.

Isso não é o que você deseja. Não é quem você quer ser.

Essa é razão por que devemos escolher afugentar a raiva e substituí-la por amor e gratidão — e propósito. Nossa quietude depende de nossa capacidade de desacelerar e escolher *não* sentir raiva, funcionar com um combustível diferente. Um que nos ajude a vencer e construir, e não machuque os outros, nossa causa ou nossa chance de obter paz.

TODOS SÃO UM

Tudo o que contemplas, o que compreende tanto deus como o homem, é um — somos as partes de um grande corpo.

— Sêneca

Em 1971, o astronauta Edgar Mitchell foi lançado ao espaço. De uma altura de quase 385 mil quilômetros, ele fitou a pequenina bola de gude azul que é o nosso planeta e sentiu alguma coisa inundá-lo. Foi, diria ele mais tarde, "uma consciência global instantânea, um direcionamento para as pessoas, uma intensa insatisfação com o estado do mundo e um impulso de fazer alguma coisa com relação a isso".

Ali tão longe, as altercações da Terra de repente pareceram insignificantes. As diferenças entre nações e culturas sumiram, a falsa urgência de problemas triviais desapareceu. O que sobrou foi um sentimento de conectividade e compaixão por todos e tudo.

A única coisa em que Mitchell conseguiu pensar, quando olhava para o planeta a partir da cabine silenciosa e sem peso de sua espaçonave, foi agarrar cada político egoísta pelo pescoço e puxá-lo até ali para apontar e dizer: "Olhe para isso, seu filho da puta."

Não que ele estivesse com raiva. Ao contrário, estava calmo e sereno como nunca. Mitchell queria que eles — os líderes, as pessoas que têm o dever de trabalhar em favor de seus concidadãos — alcançassem a mesma percepção que ele: a de que somos todos um, de que estamos todos nisto juntos, e de que esse fato é a única coisa que realmente importa.

A palavra cristã para esse termo é *ágape*. É o êxtase do amor de um poder superior, a pura sorte e boa fortuna de ser feito a essa imagem. Se você algum dia já viu a estátua de santa Teresa de Bernini, pode compreender essa sensação em forma física. O sorriso afetuoso de um anjo cravando uma flecha no coração de Teresa. Os raios do sol dourado caindo do céu. Os olhos fechados de Teresa e a boca parcialmente aberta, percebendo, *conhecendo* a profundidade de amor e conexão que existe para ela.

Quer ela venha da perspectiva do espaço, de uma epifania religiosa ou do silêncio da meditação, a compreensão de que estamos todos conectados — *de que somos todos um* — é uma experiência transformadora.

Uma paz tão tranquila segue-se a isso... tamanha quietude.

Com ela, perdemos o egoísmo e o egocentrismo que estão na raiz de grande parte da perturbação em nossas vidas.

Os gregos falavam de *sympatheia*, o tipo de interdependência mútua e relação entre todas as coisas, passadas, presentes e futuras. Eles acreditavam que cada pessoa neste planeta tinha um papel importante a desempenhar e devia ser respeitada por isso. John Cage chegou a compreender algo semelhante quando abraçou seu próprio estilo de música, extravagante e único — como aquela canção de quatro minutos e trinta e três segundos de silêncio —, em vez de tentar ser como todos os outros. "Encarar a raça humana como uma pessoa", escreveu ele, sendo cada um de nós uma parte individual de um único corpo, "permite ver que a originalidade é necessária, pois não é preciso que o olho faça o que a mão faz tão bem."

A concepção verdadeiramente filosófica é que não só a originalidade é necessária, mas *todos* são necessários. Até pessoas de quem você não gosta. Até as pessoas que o irritam muito. Até as pessoas que desperdiçam suas vidas, trapaceando ou violando as regras, são parte da equação mais ampla. Podemos entendê-las — ou pelo menos simpatizar com elas — em vez de tentar lutar com elas ou mudá-las.

Robert Greene, conhecido por seu estudo amoral sobre poder e sedução, na verdade escreve em seu livro *The Laws of Human Nature* sobre a necessidade de praticar *mitfreude*, o desejo ativo de boa vontade para com os outros, em vez de *schadenfreude*, o desejo ativo de animosidade. Podemos fazer um esforço ativo para praticar o perdão, especialmente com aqueles que podem ter causado feridas na criança interior, as quais nos esforçamos para curar. Podemos buscar entendimento com aqueles de quem discordamos. *Tout comprendre c'est tout pardonner.* Compreender tudo é perdoar tudo. Amar a todos é estar em paz com todos, inclusive você mesmo.

Imagine algo com que você se importa profundamente, um bem que você estime, uma pessoa que você ame ou uma experiência que signifique muito para você. Agora imagine esse sentimento, esse calor irradiante que vem quando você pensa nisso, e considere como *cada pessoa*, até assassinos no corredor da morte, até a pessoa mal-educada que te empurrou no supermercado, tem o mesmo sentimento com relação a alguma coisa na vida. Juntos, vocês o compartilham. Não apenas entre si, mas também com todas as pessoas que já viveram. Ele o conecta com Cleópatra, Napoleão e Frederick Douglass.

É possível fazer a mesma coisa com a sua dor. Por pior que você possa se sentir num dado momento, esse também é um sentimento compartilhado, uma conexão com os outros. O homem que sai para fazer uma caminhada após uma discussão com a mulher. A mãe que se preocupa com aquele filho que parece estar sempre em apuros. O comerciante que fica nervoso pensando de onde virá o dinheiro — *Como vou seguir adiante?* Dois irmãos que choram a perda de um pai. O cidadão comum que acompanha o noticiário, torcendo para que o país evite uma guerra desnecessária.

Ninguém está sozinho, no sofrimento ou na alegria. No final da rua, do outro lado do oceano, em outra língua, outra pessoa está vivenciando exatamente a mesma coisa. Sempre foi e sempre será assim.

Você pode até usar isso para se conectar mais profundamente com você mesmo e com sua própria vida. A Lua que você admira esta noite é a mesma Lua que admirava quando era uma criança assustada, é a mesma vai admirar quando for mais velho — em momentos de alegria e na dor — e é a mesma que seus filhos vão admirar em seus próprios momentos.

Ao se distanciar da enormidade da sua experiência imediata — seja lá qual for —, você se torna capaz de ver a experiência dos outros, se conectar com eles ou diminuir a intensidade da sua própria dor. Somos todos filamentos numa longa corda que remonta a inúmeras gerações e une todas as pessoas em todos os países em todos os continentes. Estamos todos pensando e sentindo as mesmas coisas, somos todos feitos das mesmas coisas e motivados pelas mesmas coisas. Somos todos poeira estelar. E ninguém precisa compreender isso mais do que o indivíduo ambicioso ou criativo, uma vez que eles passam tanto tempo em sua própria cabeça e em sua própria bolha.

Encontrar o universal no pessoal e vice-versa não é somente o segredo da arte e da liderança e até do empreendedorismo, é o segredo para se centrar. Isso ao mesmo tempo reduz o volume do ruído no mundo e nos deixa alinhados com a sintonia tranquila em que os sábios e filósofos estão há muito tempo.

Essa conectividade e universalidade não precisam parar no nosso semelhante. A filósofa Martha Nussbaum recentemente chamou atenção para o narcisismo da obsessão do homem com o que significa ser humano. Uma pergunta melhor, mais aberta, mais vulnerável e mais conectada seria o que significa estar vivo, ou existir *ponto*. Como ela escreveu:

> Dividimos um planeta com bilhões de outros seres sensíveis, e todos eles têm suas próprias maneiras complexas de ser o que quer que sejam. Todos os nossos semelhantes animais, como Aristóteles observou há muito tempo, tentam permanecer vivos e reproduzir mais de sua espécie. Todos eles percebem. Todos eles desejam. E a maior parte se desloca de um lugar para outro para obter aquilo que quer e de que necessita.

Compartilhamos grande parte de nosso DNA com essas criaturas, respiramos o mesmo ar, andamos na mesma terra e nadamos nos mesmos oceanos. Estamos inextricavelmente entrelaçados uns com outros — assim como estão nossos destinos.

Quanto menos convencidos estamos de nossa excepcionalidade, maior capacidade temos para compreender e contribuir para nosso ambiente; menos somos cegamente compelidos por nossas próprias necessidades; com mais clareza, podemos apreciar as necessidades daqueles à nossa volta; mais podemos compreender o ecossistema mais amplo, do qual somos uma parte.

Paz é quando compreendemos que vitória e derrota são lugares quase idênticos num único, longo espectro. Paz é o que nos permite ter alegria com o sucesso dos outros e lhes permite ter alegria com o nosso. Paz é o que motiva uma pessoa a ser boa, a tratar bem todos os outros seres vivos, porque ela compreende que essa é uma maneira de tratar bem a si mesma.

Somos um único grande organismo coletivo, engajado conjuntamente num projeto infinito. Somos um só.

Somos iguais.

Entretanto, deixamos isso de lado com demasiada frequência, e nos esquecemos de nós mesmos no processo.

PASSEMOS À PRÓXIMA ETAPA

Muito poucos se desviam entre os que se comportam com comedimento.

— Confúcio

L*'essentiel est invisible pour les yeux.*
O essencial é invisível aos olhos.

A citação que ficava pendurada na parede de Fred Rogers era na realidade uma citação parcial. O restante dela aparece em *O pequeno príncipe*, o belo e surreal livro infantil de autoria do aviador francês e herói da Segunda Guerra Mundial Antoine de Saint-Exupéry. Nele, a raposa diz ao menino: "Eis o meu segredo. É muito simples: só se vê bem com o coração. O essencial é invisível aos olhos."

Primeiro, procuramos por clareza mental. Mas logo nos demos conta de que a alma deve estar em condições igualmente boas se desejamos alcançar a quietude. Em sintonia uma com a outra — clareza na mente e na alma —, encontramos tanto a excelência como uma inquebrantável tranquilidade. É com o *coração* e a alma que somos capazes de trazer à tona coisas importantes que os olhos precisam ver.

Você descobrirá que explorar a alma não é tão fácil quanto limpar a mente. Requer descascar o que o escritor Mark Manson chamou de "cebola da autoconsciência" e assumir a responsabilidade por nossos próprios impulsos e emoções. Qualquer um que tenha feito isso pode lhe dizer que lágrimas e cebolas costumam andar juntas.

Mas é precisamente esse lado sentimental — entrar em contato com nós mesmos, encontrar equilíbrio e significado e cultivar virtude — que a campeã de vôlei Kerri Walsh Jennings afirmou que faz dela uma jogadora tão estupenda na quadra.

Algumas tradições antigas sustentavam que a alma está na barriga, o que é apropriado aqui por duas razões: porque acabamos de passar pela parte que mais dá *frio na barriga* da nossa jornada e porque ela estabelece para onde vamos em seguida.

A quietude não é meramente uma abstração — algo sobre o qual apenas pensamos ou sentimos. Ela também é real. Está *em nossos corpos*. Sêneca nos aconselhou a não "supor que a alma está em paz quando o corpo está quieto". E vice-versa. Lao Tsé disse que "movimento é a base da quietude".

O que se segue, portanto, é o domínio final da quietude. O modo literal que *nossa forma* assume na vida cotidiana. Nosso corpo. O ambiente em que levamos esse corpo. Os hábitos e rotinas a que sujeitamos esse corpo.

Um corpo assoberbado ou abusado não só de fato está inquieto, como cria uma turbulência que se propaga para os demais aspectos de nossa vida. Uma mente sobrecarregada e maltratada é suscetível a vício e corrupção. Uma existência mimada e preguiçosa é a manifestação de vazio espiritual. Podemos estar em movimento e ainda estar quietos. De fato, temos de ser ativos para que a quietude tenha algum sentido.

A vida é difícil. A sorte é volúvel. Não podemos nos dar ao luxo de ser fracos. Não podemos nos dar ao luxo de ser frágeis. Devemos fortalecer nosso corpo como o recipiente físico para nossa mente e nosso espírito, sujeito ao capricho do mundo físico.

É por isso que passaremos agora para este domínio final da quietude — o corpo — e seu lugar no mundo real. Na vida real.

PARTE III

MENTE ♦ ESPÍRITO ♦ **CORPO**

Somos todos escultores e pintores, e nosso material é nossa própria carne, sangue e ossos.
— Henry David Thoreau

O DOMÍNIO DO CORPO

Winston Churchill teve uma vida produtiva.
 Ele foi para o campo de batalha pela primeira vez aos 21 anos e escreveu seu primeiro livro de grande sucesso sobre isso não muito depois. Aos 26 anos, fora eleito para um cargo público e iria servir no governo durante as seis décadas e meia seguintes. Escreveria cerca de dez milhões de palavras e mais de quarenta livros, pintaria mais de quinhentos quadros e faria cerca de 230 discursos ao longo de seu tempo neste planeta. Em meio a tudo isso, conseguiu ocupar os cargos de ministro da Defesa, primeiro lorde do Almirantado, ministro das Finanças e, é claro, primeiro-ministro da Grã-Bretanha, quando ajudou a salvar o mundo da ameaça nazista. Depois, para completar, passou seus últimos anos combatendo a ameaça do comunismo totalitário.
"É uma era dinâmica", escreveu Churchill para sua mãe quando jovem, "e temos de ser dinâmicos como o resto." É bem possível que Winston Churchill tenha sido a pessoa mais dinâmica em toda a história. Sua vida abrangeu o último ataque de cavalaria do Império Britânico, que ele testemunhou como um jovem correspondente de guerra em 1898, e terminou em plena era nuclear, ou melhor, na era espacial, ambas

as quais ele ajudou a inaugurar. Sua primeira viagem aos Estados Unidos foi num navio a vapor (nela, Churchill foi anunciado no palco por ninguém menos que Mark Twain), e a última foi num Boeing 707 que voava a oitocentos quilômetros por hora. Entre uma coisa e outra, ele viu duas guerras mundiais, a invenção do automóvel, do rádio e do rock, e incontáveis provações e triunfos.

É possível encontrar alguma quietude aqui? Poderia alguém tão ativo, tão hercúleo em seus trabalhos, que encarou tantos conflitos e tensões, ser descrito como tranquilo, ou em paz?

Estranhamente, sim.

Como escreveria Paul Johnson, um dos melhores biógrafos de Churchill: "O equilíbrio que ele mantinha entre o trabalho a todo vapor e o lazer criativo e restaurador deve ser estudado por qualquer um que ocupe um alto cargo." Johnson, quando era um jovem de dezessete anos, décadas antes de sua própria carreira como escritor, encontrou com Churchill na rua e gritou para ele: "Senhor, a que atribui seu sucesso na vida?"

Imediatamente, Churchill respondeu: "Conservação da energia. Nunca se levante quando pode se sentar, e nunca se sente quando pode se deitar."

Ele conservava energia para jamais se esquivar de uma tarefa ou recuar diante de um desafio. Para que, apesar de todo esse trabalho e de seus esforços, ele jamais se esgotasse ou perdesse a centelha de alegria que tornava a vida digna de ser vivida. (De fato, além da importância do trabalho árduo, Johnson disse que as outras quatro lições da notável vida de Churchill foram mirar alto; nunca permitir que erros ou críticas o derrubassem; não desperdiçar energia com rancores, dissimulação ou conflitos internos; e deixar espaço para a alegria.) Mesmo durante a guerra, Churchill nunca perdia o senso de humor, nunca perdia de vista o que havia de bonito no mundo, e nunca se entregava à exaustão ou ao ceticismo.

Diferentes tradições oferecem diferentes prescrições para uma boa vida. Os estoicos recomendavam determinação e obstinação férreas. Os epicuristas pregavam o relaxamento e os prazeres simples. Os cristãos falavam de salvar a humanidade e dar glória a Deus. Os franceses, de certa *joie de vivre*. Os mais felizes e mais resilientes conseguem incorporar um pouco de cada uma dessas abordagens em suas vidas, e isso era certamente verdade no caso de Churchill. Ele era um homem de grande disciplina e paixão. Era um soldado. Era um amante dos livros, e tinha fé na glória e na honra. Um estadista, um assentador de tijolos e um pintor. "Somos todos vermes", ele brincou uma vez com um amigo, simples organismos que comem e defecam e depois morrem, mas ele gostava de pensar em si mesmo como um *verme luminoso*.

Além de sua impressionante habilidade mental e força espiritual, Churchill também era um mestre inesperado — por conta de sua corpulência — do terceiro e último domínio da quietude, aquele que pertence ao reino físico, que vamos chamar o *domínio do corpo*.

Poucos teriam previsto que ele se destacaria nessa área. Nascido com uma constituição delicada, queixava-se quando jovem de que tinha sido "amaldiçoado com um corpo tão debilitado que mal posso suportar as fadigas do dia". Ainda assim, como Theodore Roosevelt antes dele, cultivou dentro desse corpo frágil uma alma indomável e uma mente determinada capaz de superar suas limitações físicas.

A QUIETUDE É A CHAVE

É um equilíbrio que todos os aspirantes a uma paz interior constante devem alcançar. *Mens sana in corpore sano* — uma mente sã num corpo são. Lembre-se, quando se diz em inglês que alguém "showed so much heart" [mostrou tanto coração], não é uma referência à emoção. Queremos dizer que a pessoa teve tenacidade e firmeza de caráter. A metáfora é de fato enganosa, quando pensamos melhor a respeito. É realmente a *medula* — a coluna vertebral — que está fazendo o trabalho.

O jovem Churchill amava a palavra escrita, mas, divergindo do caminho tradicional de um escritor, não se trancou com livros numa velha biblioteca empoeirada. Pôs seu corpo em ação. Servindo ou atuando como observador em três guerras consecutivas, fez seu nome narrando as façanhas do império, primeiro como correspondente de guerra na África do Sul durante a Guerra dos Bôeres, na qual foi feito prisioneiro em 1899 e escapou por pouco com vida.

Em 1900, foi eleito para seu primeiro cargo político. Aos 33 anos, percebendo que a grandeza era impossível sozinho, entregou-se de corpo e alma. Casou-se com Clementine, uma influência brilhante e tranquilizadora que equilibrou muitos de seus piores traços. Foi um dos grandes casamentos da época — chamavam-se carinhosamente de "Pug" e "Cat" —, marcado por afeição verdadeira e amor. "Minha capacidade de persuadir minha esposa a se casar comigo", disse ele, foi "meu feito mais brilhante (...) Claro, teria sido impossível para qualquer homem comum ter passado pelo que tive de passar na paz e na guerra sem a ajuda devotada do que chamamos na Inglaterra de nossa melhor metade."

Por mais ativo e ambicioso que Churchill fosse — por mais dinâmico —, ele raramente era frenético e não tolerava desorganização. É quase um desmancha-prazeres descobrir que os espirituosos ditos infames e comentários engenhosos de Churchill eram de fato muito treinados e ensaiados. Ninguém sabia o esforço que demandavam, disse ele, nem o esforço necessário para fazer com que parecessem espontâneos. "Toda noite", contou, "julgo a mim mesmo como numa corte marcial para ver se fiz alguma coisa eficaz durante o dia. Não me refiro a apenas ficar ciscando — qualquer um pode fazer isso —, mas a alguma coisa realmente eficaz."

Como escritor, era incrivelmente prolífico. Enquanto ocupava cargos públicos, Churchill conseguiu publicar sete livros só no período entre 1898 e o fim da Primeira Guerra Mundial. Como fazia isso? Como conseguia extrair tanto de si mesmo? A resposta simples: rotina de exercícios.

Toda manhã, Churchill se levantava por volta das oito e tomava seu primeiro banho, em que ele entrava a 36°C e mandava elevar para 40°C enquanto ficava sentado (e ocasionalmente dava uma cambalhota) na água. Recém-banhado, passava as duas horas seguintes lendo. Depois respondia à correspondência diária, relacionada sobretudo a seus deveres políticos. Por volta do meio-dia, dava uma passada para cumprimentar a esposa pela primeira vez — acreditando durante toda a sua vida que o segredo de um casamento feliz era que os cônjuges não se vissem antes do meio-dia. Em seguida atacava qualquer projeto de escrita em que estivesse trabalhando — provavelmente um artigo, um discurso ou um livro. No início da tarde, estaria com um ritmo fantástico de escrita e então parava abruptamente para o almoço (para o qual enfim se vestia). Depois do almoço ia dar um passeio por Chartwell, sua propriedade no interior da Inglaterra, alimentando seus cisnes e peixes — para ele, a mais importante e agradável parte do dia. Depois se sentava na varanda e tomava ar, pensando e meditando. Para inspiração e serenidade, podia recitar poesia para si mesmo. Às três da tarde era hora de dormir uma sesta de duas horas. Depois da sesta, era a hora da família e, depois, um segundo banho antes de um tardio jantar formal à mesa (depois das oito da noite). Após o jantar e drinques, mais um arranco de escrita antes de ir para a cama.

Era uma rotina que ele mantinha até no Natal.

Churchill era muito empenhado e disciplinado — mas, como nós, não era perfeito. Frequentemente trabalhava mais do que devia, em geral porque gastava mais dinheiro do que necessário (e isso produziu uma quantidade razoável de escritos que teria sido melhor que permanecessem inéditos). Churchill era impetuoso, gostava de apostar e era propenso a assumir responsabilidades demais. O incansável cumprimento de seus deveres em tempo de guerra não foi a inspiração de um de seus desenhos, em que se retratou como um porco carregando um peso de nove mil quilos. Foram seus prazeres que ele representou ali.

Sua vida tampouco foi uma interminável série de triunfos. Churchill cometeu muitos erros, em geral erros de julgamento que vinham de uma mente esgotada pelo estresse. Assim, ele emergiu da Primeira Guerra Mundial com um histórico misto. Seu serviço na administração em tempo de guerra tinha sido marcado por alguns importantes fracassos, dos quais se redimiu ao se demitir e ingressar nas linhas de frente com os Royal Scots Fusiliers. Depois da guerra, foi chamado de volta para servir como secretário de Estado da Guerra e do Ar e depois secretário de Estado para as colônias.

Em meados dos anos 1920, Churchill estava servindo como ministro das Finanças (um cargo que estava acima da sua competência), ao mesmo tempo que tinha também assinado contrato para produzir um relato da guerra de três mil páginas em seis volumes, intitulado *The World Crisis*. Deixado por sua conta, ele poderia ter tentado encarar essa incrível carga de trabalho. Mas as pessoas à sua volta viram o preço que suas responsabilidades estavam lhe cobrando e, preocupadas com um possível esgotamento, instaram-no a encontrar um hobby que pudesse lhe proporcionar um mínimo de prazer, satisfação e descanso. "Lembre-se do que eu disse sobre descansar dos problemas atuais", escreveu-lhe o primeiro-ministro Stanley Baldwin. "Um grande ano logo começará, e muito depende de você se manter em forma."

Seguindo a típica maneira churchilliana, ele escolheu uma forma inesperada de lazer: alvenaria. Após aprender o ofício com dois empregados em Chartwell, imediatamente se apaixonou pelo processo lento e metódico de misturar argamassa, aplicar com espátula e empilhar tijolos. Ao contrário de suas profissões — escrita e política —, a alvenaria não desgastava seu corpo, mas o revigorava. Churchill era capaz de assentar nada menos que noventa tijolos em uma hora. Como ele escreveu para o primeiro-ministro em 1927: "Tive um mês delicioso construindo um chalé e ditando um livro: duzentos tijolos e duas mil palavras por dia." (Ele também despendia várias horas por dia com seus deveres ministeriais.) Um amigo observou como era bom para Churchill pôr os pés no chão e estar em contato com a terra. Esse era também um tempo precioso que ele passava com sua filha mais nova, Sarah, que carregava obedientemente os tijolos para o pai como sua adorável e amada aprendiz.

Um momento sombrio na Primeira Guerra Mundial inspirou outro hobby: a pintura a óleo. Churchill foi apresentado a ela por sua cunhada, que, sentindo que o político era uma chaleira apitando de estresse, entregou-lhe um pequeno jogo de tintas e pincéis com que seus filhos pequenos gostavam de brincar. Num livrinho intitulado *Painting as a Pastime* [Pintura como passatempo], Churchill falou eloquentemente sobre realizar novas atividades que usem outras partes da mente e do corpo para aliviar as áreas em que estamos sobrecarregados. "O cultivo de um hobby e de novas formas de interesse é, portanto, uma conduta de importância capital para um homem público", escreveu. "Para ser realmente feliz e estar de fato seguro, deve-se ter pelo menos dois ou três hobbies, e todos eles devem ser reais."

Churchill não era um pintor particularmente bom — sua alvenaria era muitas vezes corrigida por profissionais também —, mas mesmo uma olhadela em suas pinturas revela o quanto ele se divertia enquanto trabalhava. É palpável nas pinceladas. "Simplesmente pintar é muito divertido", diria ele. "As cores são lindas de se ver e deliciosas de se espremer." Desde cedo, Churchill foi aconselhado por um pintor renomado a nunca hesitar diante da tela (isto é, *pensar demais*), e ele levava isso a sério. Não ficava intimidado ou desencorajado por sua falta de habilidade (só isso podia explicar a audácia necessária para acrescentar um camundongo a uma pintura de valor inestimável de Peter Paul Rubens pendurada numa das residências do primeiro-ministro). Pintar era uma expressão de alegria para Churchill. Era *lazer*, não trabalho.

A pintura, como todos os bons hobbies, ensinava aquele que a praticava a estar presente. "Esse elevado senso de observação da natureza", escreveu ele, "foi um dos principais prazeres que experimentei através da tentativa de pintar." Por quarenta anos, ele foi consumido pelo trabalho e pelas próprias ambições, mas, por meio da pintura, sua perspectiva e percepção ficaram muito mais aguçadas. Obrigado a desacelerar para montar o cavalete, misturar as tintas e esperar que secassem, ele *via* coisas que antes teria ignorado.

Essa foi uma habilidade que Churchill cultivou ativamente — aumentando sua consciência mental por meio de exercícios físicos. Ele começou a ir a museus para ver pinturas, depois esperava um dia e tentava recriá-las de memória. Ou tentava capturar uma paisagem que vira depois de deixar o local (hábito semelhante ao de recitar poesia em voz alta.) "A pintura desafiava seu intelecto, apelava para suas noções de beleza e proporção, liberava seu impulso criativo e (...) lhe trazia paz", observou sua amiga da vida toda, Violet Bonham Carter. Era também, disse ela, a única coisa que Churchill fazia silenciosamente. Sua outra filha, Mary, observou que a pintura e o trabalho manual "eram os antídotos soberanos para o elemento depressivo em sua natureza". Churchill ficava feliz porque saía da própria cabeça e punha o corpo para trabalhar.

Como isso se revelou necessário, porque em 1929 sua formidável carreira política chegou de repente ao que pareceu ser um fim ignominioso. Expulso da vida política, Churchill passou uma década num pseudoexílio em Chartwell, enquanto Neville Chamberlain e uma geração de políticos britânicos apaziguavam a crescente ameaça do fascismo na Europa.

A vida faz isso conosco. Ela nos derrota. Tudo pelo que trabalhamos pode ser tirado de nós. Todos os nossos poderes podem se tornar impotentes num instante. O que vem em seguida não é apenas uma questão do espírito ou da mente, é uma questão física real: *O que você faz com o seu tempo? Como você lida com a vertigem das mudanças bruscas?*

A resposta de Marco Aurélio foi que, nessas situações, devemos "amar a disciplina que conhecemos e deixá-la nos apoiar". Em 1915, cambaleando em consequência do fracasso da campanha de Gallipoli, Churchill escreveu que se sentia como um "monstro marinho pescado das profundezas, ou um mergulhador içado de forma súbita demais, minhas veias ameaçavam rebentar com a perda de pressão. Eu tinha grande ansiedade e nenhum meio de aliviá-la; tinha convicções veementes e pouco poder para pô-las em prática". Foi então que ele começou a pintar, e em 1929, experimentando uma queda brusca semelhante, retornou à disciplina e aos hobbies em busca de alívio e reflexão.

Churchill não sabia disso na metade da década de 1930, mas estar afastado do poder durante o rearmamento da Alemanha era exatamente o que ele deveria ter feito. Seria preciso força de verdade para ficar lá, para não lutar para voltar, mas, se ele tivesse feito isso, teria sido manchado pela incompetência de seus pares no governo. Churchill foi provavelmente um dos únicos líderes britânicos a pararem para ler e digerir todo o *Mein Kampf* (se Chamberlain o tivesse feito, talvez Hitler fosse detido um tanto antes). Esse tempo permitiu a Churchill se dedicar ativamente às suas carreiras na escrita e no rádio, o que o converteu numa celebridade querida nos Estados Unidos (e preparou o país para sua aliança final com a Grã-Bretanha). Ele passava o tempo com seus peixes-douradas, seus filhos e suas tintas a óleo.

Além disso, Churchill precisou esperar. Pela primeira vez na vida, com exceção daquelas tardes na varanda, ele tinha de não fazer *nada*.

Teria ele sido o outsider chamado de volta para liderar a Grã-Bretanha em seu melhor momento se tivesse permitido que a indignidade de seu exílio político lhe dominasse a mente, penetrasse em sua alma e o compelisse a usar de expedientes para voltar à notoriedade naqueles anos? Poderia ele ter tido a energia e a força aos 66 anos para carregar o país nas costas e *liderar* sem aquela década supostamente "perdida"? Se tivesse mantido seu ritmo alucinante?

É quase certo que não.

O próprio Churchill escreveu que todos os profetas devem ser obrigados a viver em meio à natureza — onde experimentam solitude e privação, refletem e meditam. Essa provação física produz "dinamite psíquica", segundo ele. Quando Churchill foi chamado de volta, ele estava pronto. Estava descansado. Podia ver o que mais ninguém conseguia ou queria. Todos os outros se encolheram com medo de Hitler, mas Churchill não.

Em vez disso, ele lutou. Perseverou sozinho. Como disse à Câmara dos Comuns:

> Embora grandes extensões da Europa e muitos Estados antigos e famosos tenham caído ou possam cair nas garras da Gestapo e de toda a odiosa aparelhagem do domínio nazista, não vamos esmorecer ou falhar. Iremos até o fim, lutaremos na França, lutaremos nos mares e oceanos, lutaremos com

crescente confiança e crescente força no ar, defenderemos nossa ilha, custe o que custar, lutaremos nas praias, lutaremos nas pistas de pouso, lutaremos nos campos e nas ruas, lutaremos nos morros; nunca nos renderemos e, mesmo que esta ilha ou uma grande parte dela estivesse subjugada e faminta, algo em que não acredito nem por um momento, então nosso Império além dos mares, armado e protegido pela Frota Britânica, iria levar a luta adiante, até que, no bom momento de Deus, o Novo Mundo, com todo o seu poder e força, avance para o resgate e a libertação do velho.

Churchill exigia igual coragem dos que estavam em sua própria casa. Quando perguntado pela nora o que eles poderiam fazer se os alemães invadissem a Grã-Bretanha, ele rosnou e respondeu: "Você pode sempre pegar uma faca de trinchar na cozinha e matar ao menos um."

O Império Britânico tinha sido responsável por desprezíveis violações dos direitos humanos, mas Churchill sabia reconhecer o mal irreparável quando o via, e seu nome era nazismo. Os campos de concentração e o extermínio genocida ainda eram algo do futuro, mas Churchill percebeu que nenhum líder que se respeitasse, nenhum país honrado podia firmar um acordo com Hitler. Mesmo que isso fosse o mais fácil a fazer. Mesmo que pudesse ter protegido a Grã-Bretanha da invasão. Ao mesmo tempo, ele tinha o cuidado de controlar as paixões que a guerra suscita: "Não odeio ninguém exceto Hitler", disse, "e isso é profissional."

Churchill foi um burro de carga incansável desde o dia em que a Grã-Bretanha declarou guerra à Alemanha em 1939 até o fim da guerra, em meados de 1945. Durante o confronto,

Clementine desenhou um traje especial que o marido podia usar e com o qual podia dormir. Eram chamados seus "trajes da sirene" — embora o público britânico se referisse a eles afetuosamente como seus "macacões"* — e poupavam a Churchill minutos preciosos para se vestir, permitindo-lhe fazer as sestas de que tanto precisava.

Portanto, sim, ele ficou esgotado nesses anos, trabalhando 110 horas por semana e sem quase nunca ficar quieto. Estima-se que tenha viajado quase 180 mil quilômetros de avião, de navio e de carro apenas entre 1940 e 1943. Durante a guerra, foi dito que a vida de Churchill era menos programada que um incêndio florestal e tinha menos paz que um furacão. Mas, por outro lado, ele tinha descansado precisamente para esse momento — e, quando podia, mantinha a rotina, mesmo nos momentos em que estava vivendo como uma toupeira no bunker subterrâneo das Salas do Gabinete de Guerra. Não tinha muito tempo para pintar durante o conflito — ou muitas chances de estar na natureza —, mas o fazia quando podia, o fazia. (Uma resultou no belo quadro de um pôr do sol norte-africano, capturado após uma reunião das principais potências de guerra em Casablanca, sendo necessário estender em cinco horas a viagem de carro para chegar ao cenário.)

É improvável que qualquer outro indivíduo tenha algum dia feito mais do que ele para salvar ou promover as noções sagradas para a civilização oriental ou ocidental. E como Churchill foi recompensado por esses esforços, por tudo que tinha feito?

---

* Fechados com um zíper na frente, pareciam macacões de criança. (N.T.)

Em 1945, foi excluído do cargo. Ao saber da notícia, Clementine tentou consolá-lo dizendo: "Talvez seja uma bênção disfarçada." Ao que ele respondeu: "Deve estar muito bem disfarçada." Ele estava errado. Ela estava certa. Como de costume.

Não só porque permitiu que Churchill escrevesse sua série final de memórias, *Memórias da Segunda Guerra Mundial* — que firmou e ensinou as lições que impediram o mundo de se desviar bruscamente para a autodestruição desde então —, mas porque lhe permitiu mais uma vez descansar e se equilibrar. Podemos ver fotos dele pintando em Marrakesh em 1948, no sul da França nos anos 1950. Ao todo, ele pintaria 550 quadros em sua vida, sendo 145 depois da guerra.

Foi, no fim das contas, uma vida de muita luta e sacrifício, em grande parte ingrata e incompreendida. Foi produtiva, mas a um elevado custo pessoal. As mesmas tarefas e responsabilidades teriam esgotado e consumido uma dúzia de pessoas normais.

"Valeu a pena?", perguntou um herói exaurido no único romance de Churchill. "A luta, o trabalho, a urgência constante dos assuntos, o sacrifício de tantas coisas que tornam a vida fácil, ou agradável — para quê?" Ele escreveu isso quando era jovem, quando era ativo e ambicioso, mas ainda não verdadeiramente comprometido com o serviço público. No futuro, estendiam-se 55 anos no Parlamento, 31 anos como ministro e nove como primeiro-ministro. Os anos à frente lhe mostrariam o verdadeiro sentido da vida e o que significava realmente lutar por causas que importavam. Ele experimentou tanto o triunfo como a catástrofe. E no fim da vida veio a saber que tudo valera a pena — e certamente todos nós que estamos vivos hoje somos gratos por esses esforços.

De fato, suas últimas palavras foram uma confirmação disso:

A jornada foi agradável e valeu a pena fazê-la — uma vez!

Epicuro disse certa vez que os sábios realizarão três coisas em sua vida: deixar obras escritas, ser financeiramente prudentes para o futuro, e apreciar a vida no campo. Isto é, seremos contemplativos, seremos responsáveis e moderados, e encontraremos tempo para relaxar na natureza. Não se pode dizer que Churchill não fez essas coisas bem (mesmo admitindo que desfrutou a vida quando pôde se permitir fazê-lo).

Comparamos essa descrição com as três palavras que Aristóteles usou para descrever a vida dos escravos em seu tempo: "Trabalho, punição e comida."

De qual dessas coisas estamos mais perto no mundo moderno? Qual desses é o verdadeiro caminho para a felicidade e a quietude?

Ninguém pode se permitir negligenciar o último domínio em nossa jornada para a quietude. O que fazemos com nossos corpos. O que colocamos *dentro* de nossos corpos. Onde moramos. Que tipo de rotina e programação mantemos. Como encontramos lazer e alívio das pressões da vida.

Se quisermos ter metade da produtividade de Churchill e conseguir capturar a mesma alegria, entusiasmo e quietude que definiram sua vida, há traços que precisaremos cultivar. Cada um de nós deve:

- Superar limitações físicas.
- Encontrar hobbies que nos permitam descansar e repor as energias.

- Desenvolver uma rotina disciplinada e confiável.
- Passar um tempo fazendo atividades ao ar livre.
- Buscar reclusão e perspectiva.
- Aprender a ficar sentado — a não fazer nada nos momentos certos.
- Dormir o suficiente e refrear a compulsão por trabalho.
- Comprometer-nos com causas maiores do que nós mesmos.

Como se costuma dizer, o corpo não se esquece. Se não cuidarmos de nós mesmos fisicamente, se não nos alinharmos da forma adequada, não importa o tamanho da nossa força mental ou espiritual.

Isso vai exigir esforço, pois não vamos encontrar nosso caminho para a paz simplesmente através do *pensamento*. Não podemos rezar para que nossa alma fique em melhores condições. Temos de nos mexer e viver para encontrar a paz. Precisaremos do nosso corpo — nossos hábitos, nossas ações, nossos rituais, nosso autocuidado — para pôr a mente e o espírito no lugar certo, assim como precisaremos da nossa mente e do nosso espírito para pôr o corpo no lugar certo.

Trata-se de uma trindade. Uma trindade sagrada. E cada parte depende das outras.

DIGA NÃO

As vantagens da não ação.
Poucos no mundo as alcançam.

— Tao Te Ching

Quando foi enviado para comandar as legiões romanas contra Aníbal, Fábio não fez nada. Não atacou. Não saiu correndo para expulsar o terrível invasor da Itália e de volta para a África.

À primeira vista, você pode até pensar que isso foi um sinal de fraqueza — com certeza muita gente de Roma pensou o mesmo —, mas na verdade era tudo parte da estratégia de Fábio. Aníbal estava longe de casa e vinha perdendo homens por conta do clima, os quais não podia substituir facilmente. Fábio acreditava que, se Roma simplesmente se mantivesse firme e não se envolvesse em nenhuma batalha onerosa, eles venceriam.

Mas a turba não conseguia lidar com esse tipo de moderação proposital. *Somos o exército mais forte do mundo*, disseram seus críticos. *Nós não ficamos sentados sem fazer nada quando alguém tenta nos atacar!* Assim, quando Fábio se ausentou para ir a uma cerimônia religiosa, eles coagiram seu comandante Minúcio a atacar.

As coisas não correram bem. Ele se lançou direto numa armadilha. Fábio teve de correr para salvá-lo. E, mesmo assim, Minúcio foi aclamado como herói por *fazer alguma coisa*, enquanto Fábio foi rotulado de covarde por se conter. Quando seu mandato como ditador terminou, a assembleia romana votou por abandonar o que era conhecido como "estratégia fabiana", de evitar batalhas e cansar Aníbal, preferindo agir com maior agressão e mais ação.

Não funcionou. Só depois do banho de sangue na Batalha de Canas, em que atacaram Aníbal e perderam quase todo o seu exército numa derrota terrível, os romanos enfim começaram a compreender a sabedoria de Fábio. Agora podiam ver que o aparente excesso de cautela era de fato um brilhante método de guerra. Ele estivera ganhando tempo e dando a seu adversário a chance de destruir a si mesmo. Só agora — e quase tarde demais — estavam prontos para ouvi-lo.

Enquanto a maioria dos grandes romanos recebeu títulos honoríficos que destacavam suas grandes vitórias ou realizações em terras estrangeiras, Fábio mais tarde recebeu um que se sobressai: *Fabius Cunctator*.

O Contemporizador.

Ele foi especial pelo que não fez — ou pelo que *esperou* para fazer — e foi um exemplo importante para todos os líderes desde então. Especialmente aqueles que se sentem pressionados por si mesmos ou por seus seguidores a ser valentes ou tomar medidas imediatas.

No beisebol, você ganha renome rebatendo com tudo, em busca de um *home run*. Sobretudo para jogadores de países pequenos e pobres, para ser notado por olheiros e técnicos é necessário mostrar ser capaz de fazer *home runs*. Como se diz na República Dominicana: "Não se sai da ilha andando." Isso quer dizer que se sai dela *rebatendo*.

É como a vida. Você não pode se beneficiar de oportunidades das quais não tenta se aproveitar.

Contudo, o dr. Jonathan Fader, psicólogo esportivo de elite que passou quase uma década acompanhando o time do New York Mets, falou sobre como essa lição é problemática para os jogadores novatos nas grandes ligas. Eles construíram suas reputações e, portanto, suas identidades tentando rebater cada arremesso possível... e agora estão enfrentando os melhores arremessadores do mundo. De repente, agressividade passa a ser uma fraqueza, não um ponto forte. Agora eles precisam se apresentar diante de milhões de pessoas, recebendo milhões de dólares, e geralmente *não* tentar rebater. Precisam esperar pelo arremesso ideal.

O que eles têm de aprender, o que o grande rebatedor Sadaharu Oh aprendeu numa série de complicados exercícios elaborados por seu mestre zen e treinador de rebatidas, Hiroshi Arakawa, é o poder da espera, o poder da precisão, o poder do vazio. Pois é isso que faz um verdadeiro profissional. Um rebatedor realmente excelente precisa de mãos rápidas e quadris poderosos, é claro, mas também deve possuir o poder de *wu wei*, ou não ação.

Wu wei é a capacidade de manter o taco parado — esperando até que o rebatedor veja o arremesso perfeito. É o iogue em meditação. Eles estão *fisicamente* quietos, para que possam estar ativos num nível mental e espiritual. Foi assim também com Kennedy durante a Crise dos Mísseis de Cuba. Podia parecer que ele não estava se empenhando o suficiente — que não tinha pressa para destruir o adversário —, mas ele estava, com razão, criando o espaço e o tempo para pensar, e dando tempo e espaço para que os russos fizessem o mesmo. Praticar *wu wei* foi precisamente aquilo que Tiger Woods perdeu a capacidade de fazer quando seus vícios em trabalho e sexo assumiram o controle.

Ação disciplinada foi o nome que John Cage deu a não fazer nada nas instruções para a execução de 4'33".

Não se escapa de um labirinto correndo dentro dele. Temos de parar e pensar. Precisamos andar devagar e com cautela, refreando nossa energia — ou ficaremos irremediavelmente perdidos. O mesmo pode ser dito dos problemas que enfrentamos na vida.

A luz verde é um símbolo poderoso em nossa cultura. Esquecemos o que Mr. Rogers tentava nos fazer ver — que a luz amarela e a luz vermelha são igualmente importantes. Desacelere. *Pare.* Um estudo recente mostrou que os indivíduos avaliados preferiam dar a si mesmos um choque elétrico a passar por apenas alguns minutos de tédio. Depois nos perguntamos por que as pessoas fazem tantas coisas estúpidas.

Há um vídeo perturbador de Joan Rivers, com seus setenta e tantos anos, já uma das mais bem-sucedidas e talentosas comediantes de todos os tempos, em que lhe perguntam por que ela continua trabalhando, por que está sempre na estrada, sempre à procura de mais shows. Falando ao entrevistador sobre o medo que a compele, ela segura um calendário vazio. "Se minha agenda algum dia se parecesse com isto, significaria que ninguém me quer, que tudo que sempre tentei fazer na vida não funcionou. Que ninguém se importa e que fui totalmente esquecida."

A questão não é apenas que nada bastava para Joan. É que nosso melhor trabalho, o mais duradouro, vem de quando fazemos as coisas com calma. Quando avaliamos os riscos e esperamos pelos arremessos certos.

Alguém que pensa que não é nada e que não tem importância porque não faz alguma coisa *mesmo que por poucos dias* está se privando de quietude, sim — mas também está se fechando para o nível superior de desempenho que surge com essa quietude.

Espiritualmente, é difícil. Fisicamente, é ainda mais. Você tem de se forçar a dizer não. Precisa se forçar a *não* subir ao palco.

Um Fábio mais fraco não teria conseguido resistir a atacar Aníbal, e toda a história poderia ter sido diferente. Um corredor de longa distância que não é capaz de controlar a própria velocidade. Um gestor de fundo de cobertura que não aguenta esperar um mercado em baixa passar. Se não conseguirem aprender a arte do *wu wei* nas suas profissões, eles não terão êxito. Se você não puder fazê-lo na *sua vida*, esqueça o sucesso, porque vai levar seu corpo à exaustão. E não dá para arranjar um corpo novo!

Deveríamos olhar com medo, até com compaixão, para as pessoas que se tornaram escravas de seu calendário, que precisam de uma equipe de dez pessoas para lidar com todos os seus projetos em curso, cujas vidas se assemelham a um fugitivo correndo de uma cena para a cena seguinte. Isso não é quietude. É servidão.

Precisamos aprender a dizer não. Como em: "Não, desculpe, não estou disponível."; "Não, desculpe, isso parece ótimo, mas prefiro não fazer."; "Não, vou esperar e ver."; "Não, não gosto dessa ideia."; "Não, não preciso disso — vou tirar o máximo proveito do que já tenho."; "Não, porque se eu disser sim para você, terei de dizer sim para todos."

Talvez não seja a coisa mais virtuosa dizer "Não, desculpe, não posso" quando você realmente pode, mas apenas não quer. Mas você pode realmente? Pode realmente se permitir fazer isso? Não é prejudicial aos outros se você está constantemente com coisas em excesso para fazer?

Um piloto pode dizer "Não vai dar, estou de sobreaviso no trabalho" como desculpa para se livrar de alguma atividade. Médicos, bombeiros e policiais podem dizer que estão "de plantão". Mas não estamos de plantão em nossas próprias vidas? Não há alguma coisa (ou alguém) para a qual estamos preservando nossas capacidades totais? Nossos próprios corpos não estão de plantão para nossas famílias, para nosso autoaperfeiçoamento, para nosso próprio trabalho?

Pense sempre sobre o que de fato estão pedindo de você. Porque muitas vezes a resposta é *uma parte da sua vida*, em geral em troca de alguma coisa que você nem quer de verdade. Lembre-se, tempo é isso. É sua vida, sua própria carne e seu próprio sangue, coisas impossíveis de recuperar.

Em todas as situações, pergunte:

- O que é isso?
- Por que é importante?
- Preciso disso?
- Quero isso?
- Quais são os custos ocultos?

- Num futuro distante, vou olhar para trás e ficar feliz por ter feito isso?
- Se eu nunca tivesse tomado conhecimento disso — se o pedido tivesse se perdido no correio, se eles não tivessem conseguido me encontrar —, eu teria sequer percebido que perdi uma oportunidade?

Quando sabemos para quais coisas dizer não, podemos dizer sim para as que importam.

FAÇA UMA CAMINHADA

Somente as ideias que temos ao caminhar têm algum valor.

— Friedrich Nietzsche

Quase todas as tardes, os cidadãos de Copenhague se deleitavam com a estranha visão de Søren Kierkegaard caminhando pelas ruas. O filósofo mal-humorado escrevia pelas manhãs numa escrivaninha alta e depois, por volta do meio-dia, partia em direção às ruas movimentadas da cidade.

Ele andava pelas modernas "calçadas", construídas para que os cidadãos elegantes pudessem passear. Andava pelos parques da cidade e pelas trilhas do Cemitério Assistens, onde mais tarde seria enterrado. De vez em quando, andava além dos muros da cidade e entrava na zona rural. Kierkegaard parecia nunca andar em linha reta — ele ziguezagueava, atravessando a rua de repente, e tentava sempre permanecer na sombra. Quando se cansava, solucionava a questão que vinha tentando resolver ou lhe ocorria uma boa ideia, dava meia-volta e ia para casa, onde passava o resto do dia escrevendo.

Ver Kierkegaard sair para caminhar surpreendia os habitantes de Copenhague porque ele parecia, ao menos a julgar pelos seus escritos, ser um indivíduo muito nervoso. Eles não estavam enganados. Caminhar era sua maneira de liberar o estresse e a frustração que suas explorações filosóficas inevitavelmente provocavam.

Numa bela carta para sua cunhada, frequentemente acamada e, por conta disso, deprimida, Kierkegaard escreveu sobre a importância de caminhar. "Acima de tudo", disse-lhe ele em 1847, "não perca seu desejo de caminhar: todos os dias caminho até chegar a um estado de bem-estar e me afasto de todas as doenças; chego caminhando aos meus melhores pensamentos, e não conheço nenhum pensamento tão opressivo que não possamos caminhar para longe dele."

Kierkegaard acreditava que a imobilidade era uma espécie de terreno fértil para a doença. Mas andar, *movimento*, era quase sagrado para ele. Limpava a alma e a mente de modo a preparar suas explorações como filósofo. A vida é um caminho, ele gostava de dizer, temos de trilhá-lo.

E, embora fosse particularmente eloquente em sua escrita sobre o caminhar, Kierkegaard não estava de maneira alguma sozinho em sua dedicação a essa prática — ou sozinho em colher seus benefícios. Nietzsche disse que as ideias em *Assim falou Zaratustra* lhe vieram numa longa caminhada. Nikola Tesla descobriu o campo magnético rotativo, uma das mais importantes descobertas científicas de todos os tempos, numa caminhada por um parque municipal em Budapeste em 1882. Quando vivia em Paris, Ernest Hemingway fazia longas caminhadas pelo cais sempre que se sentia empacado em sua escrita e precisava aclarar seu pensamento. A rotina diária de

Charles Darwin incluía várias caminhadas, assim como as de Steve Jobs e dos psicólogos revolucionários Amos Tversky e Daniel Kahneman, tendo este último escrito: "Fiz as melhores reflexões da minha vida em vagarosas caminhadas com Amos." Era a atividade física no corpo, disse Kahneman, que fazia seu cérebro funcionar.

Quando era seminarista em Crozer, Martin Luther King Jr. fazia uma hora de caminhada todos os dias pelos bosques do campus para "estar em comunhão com a natureza". Walt Whitman e Uysses S. Grant frequentemente esbarravam um com o outro em suas respectivas caminhadas por Washington, que clareavam suas mentes e os ajudavam a pensar. Talvez tenha sido sobre essa experiência que Whitman escreveu nestes versos de "Song of Myself":

Conheces as alegrias do pensamento meditativo?
Alegrias do coração livre e solitário, o coração terno e triste?
Alegrias da caminhada solitária, o espírito encurvado, mas orgulhoso, o sofrimento e a luta? *

Freud era conhecido por suas caminhadas a passo rápido pelo Ringstrasse de Viena após sua refeição da noite. O compositor Gustav Mahler passava nada menos que quatro horas por dia caminhando, usando esse tempo para analisar e anotar suas ideias. Ludwig van Beethoven levava partituras e algum utensílio de escrita em suas caminhadas pela mesma razão. Dorothy

---

* Know'st thou the joys of pensive thought? / Joys of the free and lonesome heart, the tender, gloomy heart? / Joys of the solitary walk, the spirit bow'd yet proud, the suffering / and the struggle?

Day foi uma caminhante a vida toda, e foi em seus passeios ao longo da praia em Staten Island nos anos 1920 que ela começou a sentir um forte senso de Deus em sua vida e as primeiras vibrações do despertar que a poria em seu caminho rumo à santidade. Provavelmente não é uma coincidência que o próprio Jesus tenha sido um andarilho — *viajante* — que conhecia os prazeres e a divindade de pôr um pé na frente do outro.

De que modo o *caminhar* nos aproxima da quietude? O objetivo de tudo que viemos falando não é reduzir a atividade, deixar de buscá-la? Sim, estamos em movimento quando andamos, mas não é um movimento frenético, ou mesmo consciente — é movimento repetitivo, ritualizado. É deliberado. É um exercício de paz.

Os budistas falam de "meditação caminhando", ou *kinhin*, na qual o movimento após uma longa sessão sentado, sobretudo se feito através de um belo cenário, pode revelar um tipo diferente de quietude que o revelado pela meditação tradicional. De fato, o banho de floresta — e a maior parte das belezas naturais — só pode ser realizado se você sai da sua casa, do escritório ou do carro e marcha para o bosque a pé.

A chave para uma boa caminhada é estar atento. Estar presente e aberto para a experiência. Deixe o celular de lado. Deixe os problemas prementes de sua vida de lado, ou melhor, deixe-os dissolver à medida que você se movimenta. Olhe para seus pés. O que eles estão fazendo? Observe como se movem sem esforço. É você que está fazendo isso? Ou eles apenas meio que se mexem sozinhos? Escute o som das folhas sendo esmagadas sob os seus pés. Sinta o empuxo do chão.

Inspire. Expire. Pense em quem pode ter caminhado por esse mesmo lugar nos séculos antes de você. Pense nas pessoas que fizeram o revestimento de asfalto sobre o qual você está. O que se passava com elas? Onde estão agora? No que acreditavam? Que problemas tinham?

Quando sentir a atração das responsabilidades ou o desejo de se comunicar com o mundo exterior, esforce-se um pouco mais. Se está numa trilha em que já pisou, vire de repente numa rua ou suba um morro onde nunca esteve. Sinta a falta de familiaridade e a novidade desses arredores, absorva o que ainda não provou.

Perca-se. Fique inalcançável. Vá *devagar*.

É um luxo acessível e disponível para todos nós. Qualquer um pode sair para fazer uma boa caminhada — num parque nacional ou num estacionamento vazio.

Não se trata de queimar calorias ou aumentar seu batimento cardíaco. Ao contrário, não se trata de nada. Em vez disso, é apenas uma manifestação, uma encarnação dos conceitos de presença, de desapego, de esvaziar a mente, de perceber e apreciar a beleza do mundo à sua volta. Distancie-se dos pensamentos que precisam ser abandonados; ande em direção àqueles que apareceram agora.

Numa boa caminhada, a mente não está completamente em branco. Não pode estar — caso contrário você poderia tropeçar numa raiz ou ser atropelado por um carro ou um ciclista. O objetivo não é, como na meditação tradicional, expulsar da sua mente *todo* pensamento ou observação. Pelo contrário, o objetivo é ver o que há à sua volta. A mente pode estar ativa enquanto você faz isso, mas está calma. É um tipo diferente de pensamento, um tipo mais saudável se você o fizer corretamente. Um estudo feito na Universidade Highlands do Novo México descobriu que a força dos nossos passos pode aumentar o fornecimento de sangue para o cérebro. Pesquisadores em Stanford descobriram que quem faz caminhadas se sai melhor em testes que medem o "pensamento divergente e criativo" durante suas caminhadas e depois delas. Um estudo da Universidade Duke descobriu uma versão do que Kierkegaard tentou dizer à cunhada, que caminhar pode ter um efeito tão positivo quanto certos medicamentos usados contra a depressão grave.

O poeta William Wordsworth caminhou nada menos que 290 mil quilômetros durante sua vida — uma média de dez quilômetros por dia desde que tinha cinco anos! Escreveu muito enquanto caminhava, em geral em volta de Grasmere, um lago no interior da Inglaterra, ou Rydal Water, que não fica muito longe dali. Nessas longas caminhadas, quando lhe ocorriam versos, Wordsworth os repetia muitas vezes, já que poderia levar horas até ter a oportunidade de escrevê-los. Os biógrafos têm se perguntado desde então: foi o cenário que inspirou as imagens de seus poemas ou foi o movimento que sacudiu seus pensamentos? Toda pessoa comum que já teve algum dia uma grande ideia numa caminhada sabe que as duas forças são igual e magicamente responsáveis.

Em nossa busca pela beleza e pelo que é bom na vida, nos faria bem ir lá para fora e dar uma volta. Numa tentativa de liberar uma parte mais profunda da nossa consciência e ter acesso a um nível elevado da nossa mente, seria bom pôr nosso corpo em movimento e fazer nosso sangue fluir.

O estresse e a dificuldade podem nos derrubar. Sentados diante de nossos computadores, ficamos sobrecarregados com informações, com e-mails, com a sequência de tarefas. Deveríamos simplesmente ficar ali sentados e absorver isso? Deveríamos ficar ali sentados com a doença e deixá-la se espalhar?

Não. Deveríamos nos levantar e nos lançar em algum outro projeto — algo construtivo como uma faxina ou catártico como uma briga? Não. Nada disso.

Deveríamos ir caminhar.

Kierkegaard conta a história de uma manhã em que foi impelido para fora de casa num estado de desespero e frustração — *doença*, em suas palavras. Depois de uma hora e meia, ele estava finalmente em paz e quase de volta para casa quando topou com um cavalheiro gentil que falou sobre vários de seus problemas. Não é sempre assim?

Não importa. "Só me restava uma coisa a fazer", escreveu ele, "em vez de voltar para casa, ir andar outra vez."

É o que nós também devemos fazer.

Caminhe.

Depois caminhe um pouco mais.

CONSTRUA UMA ROTINA

Se uma pessoa investir ainda que só um pouco de esforço em seguir o ritual e os padrões da retidão, receberá duas vezes mais.

— Xunzi

Todas as manhãs, Fred Rogers acordava às cinco para passar uma hora tranquila em reflexão e prece. Depois ia para o Pittsburgh Athletic Club, onde dava suas braçadas matinais. A caminho da piscina, ele se pesava — era importante que sempre pesasse 65 quilos — e, quando mergulhava, cantava "Jubilate Deo" para si mesmo. A cada dia, emergir daquela piscina era como um novo batismo, escreveu um amigo, saindo revigorado e totalmente preparado para o dia de trabalho pela frente.

Quando chegava ao cenário de seu programa de televisão, a etapa seguinte do ritual começava, uma parte que ficou gravada para a posteridade de maneira idêntica ao longo de centenas de episódios, ano após ano. A música tema começa. A luz amarela pisca. A câmera gira para a porta da frente. Mr. Rogers entra, cantando, e desce a escada. Ele tira o paletó e o pendura com cuidado no armário. Veste e fecha seu casaco característico — um casaco que sua mãe lhe fez. Em seguida tira os sapatos e calça um confortável par de tênis de velejador. Agora, e somente agora, pode começar a falar e ensinar para suas pessoas favoritas no mundo — as crianças de sua vizinhança.

Para alguns, isso pode parecer monótono. A mesma rotina, dia após dia, que se estendia além do "Corta!" no fim de cada programa para uma sesta à tarde, jantar com a família e ir se deitar às nove e meia. O mesmo peso. A mesma comida. A mesma abertura. O mesmo encerramento para o dia. Entediante? A verdade é que uma boa rotina não só é fonte de grande conforto e estabilidade, como também a plataforma a partir da qual um trabalho estimulante e satisfatório é possível.

A rotina, cumprida por tempo suficiente e com sinceridade suficiente, torna-se mais do que rotina. Torna-se um *ritual* — torna-se santificada e sagrada.

Talvez Mr. Rogers não seja a sua praia. Talvez você prefira olhar para o armador e eterno astro do basquete Russell Westbrook, que começa sua rotina *exatamente* três horas antes do início do jogo. Primeiro, ele se aquece. Depois, uma hora antes de entrar em quadra, Westbrook visita a capela do estádio. Depois come o sanduíche de costume: pão integral com geleia de morango e manteiga de amendoim Skippy, cortado na diagonal. Exatamente seis minutos e dezessete segundos antes do início do jogo, começa o exercício de aquecimento final da equipe. Ele tem um par de tênis específico para os jogos, para o treino e para os jogos fora de casa. Desde o ensino médio, Westbrook age da mesma forma após realizar um lance livre: anda para trás, passa a linha de três pontos e depois avança novamente para fazer o arremesso seguinte. No centro de treinamento, ele tem uma vaga específica no estacionamento e gosta de treinar no Practice Court 3. Também telefona para os pais todos os dias à mesma hora. E assim por diante.

O esporte está cheio de histórias como essa. Elas frequentemente incluem goleiros no hóquei, arremessadores no beisebol, zagueiros e *placekickers* no futebol americano — as posições mais cerebrais em seus respectivos jogos. Jogadores que adotam esse tipo de comportamento são chamados de excêntricos, e suas rotinas são chamadas de supersticiosas. Parece estranho para nós que essas pessoas bem-sucedidas, que são mais ou menos seus próprios chefes e claramente tão talentosas, pareçam prisioneiras da estrita organização de sua rotina. O objetivo da glória não é ficar livre de regras e regulamentos triviais? Poder fazer o que quiser?

Ah, mas os grandes sabem que a liberdade total é um pesadelo. Sabem que a ordem é um pré-requisito da excelência e que num mundo imprevisível bons hábitos são um porto seguro de estabilidade.

Foi Eisenhower que definiu liberdade como a oportunidade para a autodisciplina. De fato, liberdade, poder e sucesso *requerem* isso. Porque sem autodisciplina o caos e a autocomplacência se instalam. É com ela, portanto, que mantemos essa liberdade.

É também com ela que entramos no estado de espírito certo para fazer nosso trabalho. O escritor e corredor Haruki Murakami fala sobre a razão de ele seguir a mesma rotina todos os dias: "A própria repetição se torna a coisa importante", diz ele, "é uma forma de mesmerismo. Eu mesmerizo a mim mesmo para alcançar um estado mental mais profundo."

Quando nossa mente está vazia e nosso corpo está em seu ritmo, fazemos nosso melhor trabalho.

Uma rotina pode se basear na hora. Jack Dorsey, o fundador e diretor executivo do Twitter, levanta-se às cinco da manhã, sem falta. O ex-fuzileiro naval Jocko Willink se levanta cedo, às quatro e meia, e posta como prova uma foto de seu relógio de pulso toda manhã. A rainha Vitória acordava às oito da manhã, tomava o desjejum às dez e se reunia com seus ministros das onze às onze e meia. O poeta John Milton estava de pé às quatro da manhã para ler e contemplar, assim às sete estava pronto para ser "ordenhado" por sua escrita.

Uma rotina pode ser focada na ordem ou na arrumação. Confúcio insistia que sua esteira estivesse alinhada ou ele não se sentaria. Jim Schlossnagle, o técnico de beisebol que assumiu o comando do time da Universidade Cristã do Texas após um longo período de jogos medíocres, ensinou seus jogadores a manter seus armários, bem como o banco, impecáveis e organizados em todos os momentos (a equipe nunca teve uma temporada ruim desde então e chegou quatro vezes consecutivas à final universitária). A *ordem* também é importante para o grande tenista Rafael Nadal, que bebe água e uma bebida de recuperação na mesma ordem e depois as arruma perfeitamente.

A rotina pode ser construída em torno de uma ferramenta, um som ou um cheiro. Rilke tinha duas canetas e dois tipos de papel em sua escrivaninha: um par era usado para escrever, ao passo que o outro era aceitável para contas, cartas e documentos menos importantes. Monges são chamados para a meditação pelo toque de um sino do mosteiro; outros monges esfregam um incenso Zuko nas mãos antes de cerimônias e meditações.

Uma rotina também pode ser religiosa ou baseada na fé. Confúcio sempre fazia uma oferenda sacrificial antes de comer, por mais ligeira que fosse a refeição. Os gregos consultavam o oráculo de Delfos antes de qualquer decisão importante e faziam sacrifícios antes da batalha. Os judeus guardam o Shabat há milhares de anos, disse Abad Ha'am, assim como o Shabat os guarda.

Feita vezes suficientes, com sinceridade e sentimento, a rotina se torna um *ritual*. A regularidade dela — a cadência diária — cria uma experiência profunda e significativa. Para uma pessoa, cuidar de um cavalo é mais uma tarefa. Para Simón Bolívar, era uma parte sagrada, essencial de seu dia. Quando o corpo está ocupado com o familiar, a mente pode relaxar. A monotonia torna-se memória muscular. Desviar-se parece perigoso, errado. Como se estivesse dando espaço para o fracasso.

Alguns podem zombar desse comportamento "supersticioso", mas é equivocado pensar assim. Como Rafael Nadal explicou: "Se fosse superstição, por que eu continuaria fazendo a mesma coisa repetidamente quer eu vença ou perca? É uma maneira de me colocar numa partida, arrumando meu ambiente para que corresponda à ordem que busco na minha cabeça." Será que os gregos realmente acreditavam que o oráculo de Delfos podia lhes dizer o que deviam fazer? Ou era o processo de consulta, a viagem ao monte Parnaso, o objetivo principal?

Sociólogos descobriram que tribos ilhoas eram mais propensas a criar rituais para atividades em que a sorte era um fator do que para aquelas em que não era, como a pesca em mar aberto comparada à na lagoa. A verdade é que a sorte sempre está em jogo para nós. A sorte é sempre um fator.

O objetivo do ritual não é trazer os deuses para o nosso lado (embora isso não vá fazer mal!). É assentar nosso corpo (e nossa mente) quando a Sorte é nossa adversária do outro lado da rede.

A maioria das pessoas se levanta para enfrentar o dia como um interminável bombardeio de escolhas desconcertantes e opressivas, uma atrás da outra. *O que eu visto? O que devo comer? O que devo fazer primeiro? E depois disso? Que tipo de trabalho devo fazer? Devo sair correndo para resolver esse problema ou me apressar para apagar esse incêndio?*

Nem é preciso dizer quanto isso é exaustivo. É um turbilhão de impulsos, incentivos e interesses conflitantes e interrupções externas. Não é um caminho para a quietude e dificilmente uma maneira de obter o melhor de você mesmo.

O psicólogo William James falou sobre transformar os hábitos em nossos aliados em vez de inimigos; que podemos construir à nossa volta uma vida honrada, ordenada e calma — e, ao fazê-lo, criar uma espécie de baluarte contra o caos do mundo, disponibilizando o melhor de nós mesmos para o trabalho que fazemos.

> Para isso, devemos tornar automático e habitual, o mais cedo possível, o maior número de ações úteis que pudermos, e nos proteger contra o desenvolvimento de hábitos que podem ser desvantajosos para nós do mesmo modo como deveríamos nos proteger contra a peste. Quanto mais detalhes de nossa vida cotidiana pudermos entregar à custódia sem esforço do automatismo, mais livres os nossos pode-

res superiores da mente ficarão para realizar seu trabalho. Não há ser humano mais miserável do que aquele em quem nada é habitual exceto a indecisão, e para o qual cada charuto que é aceso, cada copo que é bebido, a hora de se levantar e de ir para a cama a cada dia, e o início de cada trabalho são submetidos a uma expressa deliberação volitiva.

Quando automatizamos e transformamos em rotina não só as partes triviais da vida, mas também as decisões boas e virtuosas, disponibilizamos recursos para realizar uma exploração importante e significativa. Conseguimos espaço para a paz e a quietude, e assim fazemos com que o bom trabalho e os bons pensamentos sejam acessíveis e *inevitáveis*.

Para tornar isso possível, pare tudo que está fazendo agora e ponha sua casa em ordem. Programe seu dia. Limite as interrupções. Limite o número de escolhas que precisa fazer.

Desse modo, a paixão e a perturbação lhe darão menos trabalho, pois estarão bloqueadas.

Para se inspirar, tome como modelo os adeptos da ikebana, os arranjos florais japoneses. Ordenados. Silenciosos. Concentrados. Limpos. Renovados. Deliberados. Nunca exercem sua arte em cafés barulhentos ou com pressa e cara de sono às três horas da manhã porque planejaram mal. Não serão vistos pegando suas tesouras de poda por capricho, ou de cueca falando ao telefone com um velho amigo que acaba de ligar. Tudo isso é aleatório demais, caótico demais para os verdadeiros mestres.

Um mestre está no controle. Um mestre tem um sistema. Um mestre transforma o ordinário no sagrado.

E nós também devemos fazê-lo.

LIVRE-SE DE SUAS COISAS

Pois propriedade é pobreza e medo; somente ter possuído alguma coisa e tê-la soltado significa posse despreocupada.

— Rainer Maria Rilke

Epiteto nasceu escravo, mas acabou recebendo sua liberdade. Com o tempo, chegou a gozar das pompas da boa vida — ou pelo menos da versão estoica dela. Imperadores assistiram às suas conferências, e ele formou muitos alunos e ganhou a vida de maneira digna. Com seu dinheiro arduamente conquistado, comprou uma linda lâmpada de ferro que mantinha acesa num pequeno santuário em sua casa.

Uma noite, ele ouviu um barulho no corredor junto à sua porta da frente. Descendo às pressas, descobriu que um ladrão roubara a preciosa lâmpada. Como qualquer pessoa que se sente apegada às suas coisas, ele ficou chateado, surpreso e sentiu-se violado. Alguém entrara em sua casa e roubara algo que lhe pertencia.

Mas então Epiteto caiu em si. Lembrou-se dos seus ensinamentos.

"Amanhã, meu amigo", disse ele para si mesmo, "você encontrará uma lâmpada de barro; pois um homem só pode perder o que tem." Pelo resto de sua vida, ele conservou essa lâmpada de barro barata no lugar da outra. Quando morreu, um admirador, totalmente alheio ao desdém de Epiteto pelas coisas materiais, comprou-a por três mil dracmas.

Uma das metáforas mais poderosas de Sêneca é o senhor de escravos possuído por seus escravos, ou o homem rico cujas vastas propriedades o dominam, e não o contrário (nos tempos modernos, temos nosso próprio termo para isso: ser *house poor*).* Montaigne era perspicaz o bastante para perguntar se na verdade não seria ele o bicho de estimação de seu gato. Encontramos também uma versão disso no Oriente. Xunzi explicou:

> O cavalheiro faz das coisas seus servos. O homem insignificante é servo das coisas.

Em suma, independência mental e espiritual importam pouco se as coisas que possuímos no mundo físico acabam nos possuindo.

Os cínicos levaram essa ideia mais longe. Diógenes supostamente morava num barril e andava quase nu. Quando viu uma criança bebendo água de um poço com as mãos, ele quebrou seu próprio copo, dando-se conta de que estivera levando para todo lado uma posse supérflua.

---

* Designação que se dá à pessoa cujas despesas relativas à habitação (como financiamento, impostos, manutenção e serviços) correspondem a uma porcentagem exorbitante de sua renda. (N.T.)

Hoje, poderíamos chamar Diógenes de vagabundo ou fracassado — ou louco —, e em certo sentido ele era essas coisas. Mas nas poucas ocasiões em que Diógenes se encontrou com Alexandre, o Grande, então o homem mais poderoso do mundo, foi com Diógenes que os observadores ficaram mais impressionados. Pois Alexandre, por mais que tentasse, não foi capaz de persuadir Diógenes com favores nem privações, pois o sábio já tinha se desapegado de bom grado de quase tudo.

Não havia nada senão uma camisa entre os estoicos e os cínicos, brincou o poeta Juvenal, sugerindo que os estoicos eram sensatos o bastante para vestir roupas (e abster-se das funções corporais em público), ao contrário dos cínicos. Essa é uma concessão bastante razoável. Não precisamos nos livrar de *todos* os nossos bens, mas devemos ponderar constantemente sobre o que possuímos, por que o possuímos e se poderíamos prescindir disso.

Já viu alguma vez uma casa destruída? Uma vida inteira de ganhos e poupanças, inúmeras horas de decoração e acúmulo até que ela estivesse toda arrumada, o lugar onde tanto se viveu — e no fim ela é reduzida a um par de caçambas cheias de escombros. Até os incrivelmente ricos, até os chefes de Estado abarrotados de presentes durante toda a vida, só encheriam apenas algumas caçambas a mais.

Contudo, quantos de nós acumulamos e adquirimos objetos como se a tonelagem métrica de nossos bens fosse uma afirmação do nosso valor como indivíduos? Assim como todo acumulador fica preso pelo próprio lixo, também ficamos atados pelo que possuímos. Cada joia cara vem com uma fatura de seguro, cada mansão com uma equipe de jardineiros, cada investimento com obrigações e extratos mensais para revisar, cada animal de estimação e planta exótica com uma série de responsabilidades. F. Scott Fitzgerald disse que os ricos são diferentes de nós, e seus romances os retratam como livres e despreocupados.

Não é bem assim.

Mais dinheiro, mais problemas, e também mais coisas, menos liberdade.

John Boyd, uma espécie de monge-guerreiro que revolucionou a estratégia militar ocidental na segunda metade do século XX, se recusava a aceitar cheques de fornecedores dos militares e vivia num apartamento pequeno, por escolha própria, mesmo na época em que aconselhava presidentes e generais. "Se um homem pode reduzir suas necessidades a zero", disse Boyd, "ele é realmente livre: não há nada que possa ser tomado dele e nada que ninguém possa fazer para feri-lo." Ao que nós acrescentaríamos: "E ele pode também ficar tranquilo."

Ninguém perseguido por credores é livre. Gastar mais do que você ganha — como Churchill podia atestar — não é glamoroso. Por trás das aparências, é *exaustivo*.

Também é perigoso. A pessoa que tem medo de perder suas coisas, que tem a própria identidade envolta em suas coisas, dá aos inimigos uma abertura. Torna-se excessivamente vulnerável ao destino.

O dramaturgo Tennessee Williams falou do luxo como o "lobo à porta". O problema não eram as posses, disse ele, mas a dependência. Ele a chamou de a catástrofe do sucesso, a maneira como nos tornamos cada vez menos capazes de fazer as coisas por conta própria e cada vez mais não conseguimos ficar sem certo nível de serviço. Não só todas as suas coisas estão uma bagunça, mas você precisa pagar alguém para vir limpá-las.

Há também o que podemos chamar de "deformação do conforto". Ficamos tão acostumados a certo nível de conforto e de luxo que se torna quase inconcebível que um dia tenhamos vivido sem eles. À medida que a riqueza aumenta, aumenta também nossa noção de "normal". Mas apenas alguns anos atrás estávamos bem sem essa abundância. Não tínhamos problema em comer macarrão instantâneo ou nos apertar num apartamento menor. Porém, agora que temos mais nossa mente começa a mentir para nós. *Você precisa disso. Fique ansioso com a possibilidade de perdê-lo. Proteja-o. Não compartilhe.*

É tóxico e assustador.

É por isso que os filósofos sempre defenderam a redução de nossas necessidades e a limitação de nossos bens. Monges e padres fazem votos de pobreza porque isso implica menos distrações e mais espaço (literalmente) para a busca espiritual com que se comprometeram. Ninguém está dizendo que temos de ir tão longe, mas quanto mais possuímos, quanto mais temos a zelar, menos espaço sobra para nos mover e menos tranquilos nos tornamos.

Comece andando pela casa e enchendo sacos de lixo e caixas com tudo que você não usa. Imagine que estará abrindo mais espaço para sua mente e seu corpo. Se dê espaço. Dê um descanso à sua mente. Quer ter menos com o que se irritar? Menos para cobiçar ou pelo que ser provocado? Doe mais.

O melhor carro não é o que atrai mais olhares, mas aquele com que você tem de se preocupar menos. As melhores roupas são as mais confortáveis, que requerem que você gaste menos tempo fazendo compras — não importa o que dizem as revistas. A melhor casa para você é aquela que mais parece um *lar*. Não use seu dinheiro para comprar solidão, ou dores de cabeça, ou desejo de status.

Sua avó não lhe deu aquele broche para que você ficasse constantemente preocupada com o risco de perdê-lo. O artista que pintou o quadro na sua parede não trabalhou duro para que você pudesse um dia temer que um convidado o estragasse. A lembrança daquele belo verão no Caribe na verdade não se resume àquele souvenir, nem o amor que você compartilha com seu cônjuge se limita à fotografia de vocês dois em seu casamento. É a lembrança que é importante. É a própria experiência que importa. Você pode ter acesso a ela a qualquer momento que desejar, e nenhum ladrão jamais pode privá-lo dela.

Você ouvirá pessoas dizerem que não têm espaço para um relacionamento em sua vida... e elas têm razão. Suas coisas estão ocupando espaço demais. Elas estão apaixonadas por bens em vez de pessoas.

Sabe a família que nunca está reunida porque os dois pais trabalham até tarde para arcar com quartos extras que nunca usam? A fama que mantém uma pessoa na estrada por tanto tempo a ponto de torná-la uma desconhecida para os filhos? A suposta "tecnologia" que é uma chateação para aprender a usar, que está sempre dando problema? Os objetos frágeis e requintados que estamos o tempo todo limpando, lustrando, protegendo e tentando encontrar jeitos de mencionar furtivamente nas conversas?

Isso não é uma vida rica. Não há paz nisso.

Tome uma atitude. Saia de debaixo das suas coisas. Livre-se delas. Doe aquilo de que não precisa.

A QUIETUDE É A CHAVE

Você nasceu livre — livre de coisas, livre de fardos. Mas, desde a primeira vez que mediram seu pequenino corpo para lhe comprar roupas, as pessoas vêm lhe impingindo posses. E você mesmo vem acrescentando elos a essa gigantesca corrente desde então.

BUSQUE A SOLITUDE

Um mundo lotado pensa que reclusão é sempre solidão e que buscá-la é perversão.

— JOHN GRAVES

Era um hábito de Leonardo da Vinci escrever pequenas fábulas em seus cadernos. Uma delas conta a história de uma pedra de tamanho considerável que repousava num simpático arvoredo, cercada por flores, empoleirada acima de uma movimentada estrada rural. Apesar dessa existência pacífica, a pedra ficou inquieta: "Que estou fazendo entre essas ervas? Quero viver entre as minhas companheiras pedras."

Infeliz e sozinha, a pedra planejou rolar morro abaixo até a estrada, onde estaria cercada por inúmeras irmãs. Mas a mudança não foi tão maravilhosa quanto se esperava. Lá embaixo na terra, a pedra era esmagada por cavalos, atropelada por carroças e pisoteada por pessoas. Ela era coberta ora por lama e ora por fezes, lascada, empurrada e deslocada — momentos dolorosos que se tornavam ainda piores pela visão ocasional que a pedra tinha de seu antigo lar e da paz solitária que deixara para trás.

Não contente de deixar a história assim, Leonardo sentiu a necessidade de dar-lhe um bom arremate. "Isso é o que acontece", escreveu ele para si mesmo e para cada um de nós, "com aqueles que deixam a vida solitária e contemplativa e escolhem a vida nas cidades, entre pessoas cheias de incontáveis pecados."

É claro que os biógrafos de Leonardo se apressaram a apontar que o autor nem sempre obedecia à lição de sua fábula. Ele passou a maior parte da vida em Florença, Milão e Roma. Pintava num estúdio movimentado e comparecia a muitos espetáculos e festas. Mesmo seus últimos anos não foram no isolamento da aposentadoria, mas na agitada corte do rei Francisco I da França.

Sua ocupação exigia isso. Assim como muitas das nossas.

O que torna o cultivo de momentos de solitude ainda mais essencial. Para encontrar solitude, da maneira como Eugen Herrigel disse que o budista faz, "não em lugares calmos muito distantes; ele a cria a partir de si mesmo, espalha-a à sua volta onde quer que possa estar, porque a ama".

Enquanto trabalhava na *Última Ceia*, Leonardo se levantava cedo e chegava ao mosteiro antes de qualquer um dos seus assistentes ou espectadores, de modo que pudesse ficar sozinho, em silêncio, com seus pensamentos e os gigantescos desafios criativos à sua frente. Ele era também conhecido por deixar seu estúdio e sair para longas caminhadas sozinho, levando um caderno e simplesmente olhando, observando e de fato vendo o que acontecia à sua volta. Ele adorava visitar a fazenda do tio em busca de inspiração e solitude.

É difícil pensar claramente em salas cheias de outras pessoas. É difícil compreender a si mesmo nunca estando só. É difícil ter muita clareza e discernimento se nossa vida é uma festa constante e nossa casa é um canteiro de obra.

Às vezes precisamos nos desconectar para nos conectarmos melhor com o próprio eu e com as pessoas a quem servimos e amamos.

"Se eu tivesse de resumir o maior problema da liderança sênior na Era da Informação, diria que é a falta de reflexão", afirmou o general de quatro estrelas da Infantaria Naval (reformado) e ex-secretário de defesa James Mattis. "A solitude nos permite refletir enquanto os outros estão reagindo. Precisamos de solitude para nos reconcentrarmos em tomar decisões de forma prospectiva em vez de apenas reagir aos problemas à medida que eles surgem."

As pessoas não têm silêncio suficiente em suas vidas porque não têm solitude suficiente. E não têm solitude suficiente porque não procuram ou cultivam o silêncio. É um círculo vicioso que impede a quietude e a reflexão, e por isso bloqueia boas ideias, que são quase sempre geradas na solitude.

Grandes descobertas parecem acontecer com espantosa frequência durante o banho ou em uma longa caminhada. Onde elas não acontecem? Gritando para se fazer ouvir num bar. Depois de assistir televisão durante três horas. Ninguém se dá conta do quanto ama alguém enquanto está agendando uma reunião atrás da outra.

Se a solitude é a escola do gênio, como o expressou o historiador Edward Gibbon, então o mundo lotado e agitado é o purgatório do idiota.

Quem não está mais tranquilo de manhã, ou quando acorda antes que comece a agitação na casa, antes que o telefone toque ou que as pessoas comecem a se deslocar para o trabalho? Quem não se sente mais bem preparado para perceber o significado do momento quando está calmo, quando seu espaço pessoal está sendo respeitado? Na solitude o tempo desacelera e, embora a princípio possamos achar essa velocidade difícil de suportar, vamos acabar ficando loucos sem esse controle sobre a agitação da vida e do trabalho. E, se não ficarmos loucos, certamente deixaremos muita coisa passar.

A solitude não é apenas para eremitas, mas para pessoas saudáveis e funcionais. No entanto, há uma ou duas coisas que podemos aprender sobre a solitude com as pessoas que se profissionalizaram nela.

Em 1941, então com apenas 26 anos, Thomas Merton apresentou-se à Abadia de Gethsemani em Bardstown, Kentucky, e começou a primeira de suas muitas jornadas na solitude monástica que se prolongariam, sob várias formas, pelos 27 anos seguintes. Sua solitude estava longe de ser uma serenidade indolente. Era, ao contrário, uma exploração ativa de si mesmo, da religião, da natureza humana e, mais tarde, voltada para resolver sérios problemas sociais como a desigualdade, a guerra e a injustiça. Em seus belos diários, encontramos revelações sobre a experiência humana que teriam sido impossíveis se Merton tivesse passado seu tempo numa redação de jornal ou mesmo num campus universitário.

Ele viria a chamar a solitude de *vocação*. Como ele escreveu:

Rezar e trabalhar de manhã, laborar e descansar à tarde, sentar-se quieto novamente em meditação ao entardecer, quando a noite cai sobre a terra e quando o silêncio se enche de escuridão e de estrelas. Essa é uma vocação verdadeira e especial. Há poucos que se dispõem a se entregar completamente a tal silêncio, deixá-lo penetrar em seus ossos, não respirar nada senão silêncio, alimentar-se de silêncio, e transformar a própria substância de sua vida num silêncio vivo e vigilante.

Numa versão mais possível de imitar do retiro de Merton, o fundador da Microsoft e filantropo Bill Gates tira duas vezes por ano, já há vários anos, o que chama de "semana para pensar". Ele passa sete dias sozinho numa cabana na floresta. Lá, afastando-se fisicamente das interrupções diárias de seu trabalho, pode se sentar e pensar de verdade.

Talvez ele esteja sozinho ali, mas dificilmente está solitário. Gates lê — às vezes *centenas* de artigos — em silêncio por horas seguidas, ora sob forma impressa, ora em monitores de computador diante da vista para a água. Ele lê livros também, numa biblioteca decorada com um retrato do escritor Victor Hugo. Redige longos memorandos para pessoas em toda a sua organização. As únicas pausas que faz são alguns minutos para jogar bridge ou sair para uma caminhada. Nesses dias sozinho na cabana, Gates é a imagem daquele verso de Tomás de Kempis: *In omnibus requiem quaesivi, et nusquam inveni nisi in angulo cum libro* — "Procurei a paz em toda parte e não a encontrei, exceto num canto com um livro."

Não confunda isso com algum tipo de férias. Trata-se de trabalho árduo — longos dias, alguns sem dormir. Ele enfrenta temas complexos, ideias contraditórias e conceitos que desafiam sua identidade. Mas, apesar das dificuldades, emerge recarregado e novamente concentrado. Pode enxergar mais longe. Sabe o que quer priorizar, no que pedir que seus funcionários trabalhem. Gates leva a silenciosa quietude da floresta de volta para o mundo complexo que, como homem de negócios e líder filantrópico, ele precisa encarar.

Cada um de nós precisa se colocar, fisicamente, na posição de fazer esse tipo de trabalho profundo. Precisamos dar aos nossos corpos, como disse Virginia Woolf, um teto todo nosso — ainda que apenas por algumas horas roubadas — onde possamos pensar e ter tranquilidade e solitude. Buda precisou de isolamento em sua busca pela iluminação. Ele teve de se afastar do mundo, partir sozinho e sentar-se.

Não acha que você se beneficiaria com isso também?

É difícil encontrar esse tempo. É difícil (e caro) fazer um retiro. Temos responsabilidades, é claro, mas elas ficarão melhores graças ao nosso desaparecimento temporário. Traremos conosco a quietude de nossa solitude na forma de paciência, compreensão, gratidão e discernimento.

Na fábula de Leonardo, a pedra abandonou a pacífica solitude do prado pela estrada e veio a se arrepender. Merton, por sua vez, ocasionalmente lamentou sua completa solitude. Havia algo mais que ele poderia fazer como um homem do mundo? Poderia ter um impacto maior se abandonasse seu isolamento?

De fato, pouquíssimos de nós estamos dispostos ou somos capazes de fazer dela a totalidade de nossa existência, nem deveríamos. (A bailarina Twyla Tharp afirma que "a solitude *sem* propósito" é uma assassina da criatividade.) Mesmo no caso de Merton, o superior de sua igreja lhe deu privilégios especiais para se comunicar com o mundo exterior por meio de cartas e escrita, e mais tarde ele começou a viajar e falar para multidões. Afinal, seu trabalho era importante demais e as descobertas que fez, essenciais demais para permanecerem trancadas numa pequenina casa de tijolos na orla da mata no Kentucky.

Merton por fim compreendeu que, após tanto tempo sozinho na floresta, ele agora possuía a solitude dentro de si — e podia ter acesso a ela sempre que quisesse. Os sábios e os ocupados também aprendem que a solitude e a quietude estão sob nosso controle, caso as procuremos. Os poucos minutos antes de subir ao palco para uma conferência ou o momento sentado em seu quarto de hotel antes de uma reunião. De manhã antes que o restante da casa desperte. Ou tarde da noite depois que o mundo foi dormir.

Agarre esses momentos. Programe-os. Cultive-os.

SEJA UM *SER* HUMANO

Trabalho é aquilo que leva os cavalos à morte. Todos deveriam saber disso.

— Aleksandr Soljenítsin

Em comparação com a maioria dos casais reais, a rainha Vitória e o príncipe consorte Alberto de Saxe-Coburgo-Gota foram excepcionais. Eles se amavam de verdade e se dedicavam de fato a seus cargos como chefes de Estado e os levavam a sério. Tudo isso era muito bom.

Mas também poderia ser alegado que qualquer traço positivo — até o trabalho árduo — levado ao excesso se torna um vício.

Nos casos dos dois, como um casal para quem, pela natureza de sua profissão, a mera ideia de "equilíbrio entre trabalho e vida" era impossível, a virtude de sua autodisciplina e dedicação tornou-se um vício fatal.

Alberto, um príncipe bávaro que entrou para a família real britânica por meio do casamento, foi um homem dedicado ao trabalho desde o dia em que se casou com Vitória. Ele trouxe a ordem e a rotina, muito necessárias, para a vida de sua rainha. Agilizou processos e assumiu uma parte dos encargos que haviam previamente recaído apenas sobre Vitória. De fato, muitos dos chamados traços vitorianos da era tiveram origem com ele. Era disciplinado, meticuloso, ambicioso e conservador.

Sob a pressão do príncipe, a agenda deles tornou-se uma sucessão de reuniões, comunicados oficiais e eventos sociais. Alberto estava quase o tempo todo ocupado, trabalhando tanto que de vez em quando vomitava em consequência do estresse. Nunca se esquivando de uma responsabilidade ou oportunidade, ele assumiu cada fragmento do fardo do poder que sua esposa estava disposta a compartilhar, e, por sua vez, eles se apoderaram, juntos, de cada fragmento de influência formal e informal que a monarquia tinha no Império Britânico na época. Eram um casal de workaholics e orgulhavam-se disso.

Como Alberto escreveu para um conselheiro, ele passava horas por dia lendo jornais em alemão, francês e inglês: "Não podemos deixar passar nada sem perder a conexão e, como consequência, chegar a conclusões erradas." Estava certo, havia sem dúvida muito em jogo. Por exemplo, como especialista, seu conhecimento de geopolítica ajudou a Grã-Bretanha a evitar ser arrastada para a Guerra Civil dos Estados Unidos.

Mas a verdade era que Alberto se lançava com igual vigor em projetos de muito menor importância. A organização da Grande Exposição de 1851, um festival de quase seis meses de duração que exibiu as maravilhas do Império Britânico, consumiu anos de sua vida. Alguns dias antes da inauguração, ele escreveu para a madrasta: "Estou mais morto do que vivo por excesso de trabalho." Foi sem dúvida um evento lindo e memorável, mas sua saúde nunca se recuperou.

Ele era como Winston Churchill, só que ele e a esposa não conheciam moderação e se divertiam pouco. "Continuo trabalhando como numa esteira, é o que a vida me parece", disse Alberto. Não é uma má descrição da vida exaustiva e repetitiva que ele e Vitória levavam. A partir de 1840, Vitória teve nove filhos em dezessete anos, quatro dos quais nasceram em anos consecutivos. Numa época em que as mulheres ainda morriam regularmente durante o parto (a anestesia — clorofórmio — só se tornou disponível em sua oitava gravidez), Vitória, que tinha pouco mais de 1,50 metro, estava constantemente grávida. Mesmo com os benefícios de um número ilimitado de criadas, ela suportou uma enorme carga física além de seus deveres como rainha. Quando morreu, descobriu-se que sofria de um prolapso uterino e uma hérnia que deviam lhe causar dor imensa e constante.

Não há nada de errado em ter uma família grande — o trono precisava de herdeiros —, mas nunca pareceu ter ocorrido ao casal que eles tinham alguma autoridade sobre o assunto. "O homem é um animal de carga", escreveu Alberto a seu irmão, "e só é feliz se tiver de arrastar sua carga e se tiver pouca liberdade de escolha. Minha experiência me ensina todos os dias a compreender cada vez mais a verdade disso." Por consequência, a existência dele e de Vitória esteve longe de ser dotada de privilégio, descanso ou liberdade. Em vez disso, foi um ciclo interminável de obrigações, cumpridas num ritmo vertiginoso que os dois impunham a si mesmos.

É uma prova de sua afeição mútua que seu casamento tenha sobrevivido. Vitória estava ao menos ciente dos efeitos deletérios que todo esse trabalho tinha sobre Alberto. Ela escreveu sobre as consequências desse "amor excessivo pelos negócios" para a relação deles e observou também que a saúde do marido estava se deteriorando. Sua mente acelerada o mantinha acordado à noite, seu estômago se contraía e sua pele ficava flácida.

Em vez de prestar atenção a esses sinais de advertência, ele persistiu por anos, trabalhando cada vez mais arduamente, forçando seu corpo a obedecer. E então, de repente, em 1861, o corpo o abandonou. Sua força falhou. Ele mergulhou pouco a pouco na incoerência e, em 14 de dezembro, às 22h50, Alberto respirou pela última vez e morreu. A causa? Doença de Crohn, exacerbada por estresse extremo. Ele tinha literalmente se matado de trabalhar.

A medicina moderna não nos salvou dessas tragédias. Em japonês, existe uma palavra para a morte provocada por excesso de trabalho: *karōshi*. Em coreano, a chamam de *gwarosa*.

É isso que você quer ser? Um burro de carga que arrasta seu fardo até que desmorona e morre, ainda ferrado e no arnês? Foi para isso que você foi posto neste planeta?

Lembre-se, a principal causa de lesão em atletas de elite não é tropeçar e cair. Não são colisões. É o esforço excessivo. Arremessadores e *quarterbacks* destroem seus braços. Jogadores de basquete destroem seus joelhos. Outros apenas ficam cansados pelas horas extenuantes e pela pressão. Michael Phelps encerrou prematuramente sua carreira na natação por fadiga — apesar de todas as medalhas de ouro, nunca mais quis entrar numa piscina. É difícil censurá-lo, também; ele tinha subordinado tudo, inclusive a própria sanidade e saúde, à tentativa de diminuir seus tempos.

Enquanto isso, Eliud Kipchoge, possivelmente o maior corredor de longa distância que já viveu, trabalha ativamente para assegurar que não está *se extenuando*. No treino, ele deliberadamente não dá o seu melhor, poupando isso para as poucas ocasiões por ano em que compete. Prefere em vez disso treinar a 80% de sua capacidade — ocasionalmente a 90% — para manter e preservar sua longevidade (e sanidade) como atleta. Quando Michael Phelps voltou a nadar após seu esgotamento em 2012, isso foi possível porque ele estava disposto a reimaginar sua atitude em relação ao treinamento e encará-lo com mais equilíbrio.

A moderação do ritmo é algo que atletas são frequentemente obrigados a aceitar à medida que envelhecem, ao passo que jovens atletas se esgotam desnecessariamente porque pensam que têm um poço sem fundo de energia. Sim, há pureza e valor em dar o nosso melhor em tudo que fazemos, mas a vida se parece muito mais com uma maratona do que com uma corrida de curta distância. De certo modo, essa é a distinção entre confiança e ego. Você confia o bastante em si mesmo e em suas capacidades para guardar alguma coisa de reserva? Consegue proteger a quietude e a paz interior necessárias para vencer a corrida mais longa, a da vida?

Foi uma mentira perversa o que os nazistas penduraram acima dos portões de Auschwitz: *Arbeit macht frei* — "O trabalho o libertará."*

Não. Não. Não.

---

* Vale a pena observar, com soturna ironia, que o estado delirante de Hitler no final da Segunda Guerra Mundial foi, em muitos aspectos, causado pelo excesso de trabalho.

O provérbio russo diz melhor: "O trabalho só o deixa corcunda."

O ser humano *não* é um burro de carga. Sim, temos deveres importantes — para com nosso país, para com nossos colegas de trabalho, para sustentar nossas famílias. Muitos de nós temos talentos e dons tão extraordinários que devemos a nós mesmos e ao mundo expressá-los e pô-los em prática. Mas não conseguiremos fazer isso se não cuidarmos de nós mesmos, ou se tivermos nos forçado além do limite.

A moral da lenda americana sobre o ferroviário John Henry é constantemente incompreendida pelas pessoas. Ele desafia a perfuratriz a vapor e com pura força e vontade sobre-humana a derrota. É uma história excelente. Inspiradora. A não ser pelo fato de que ele morre no final! De exaustão! "Na vida real", observou George Orwell, "é sempre a bigorna que quebra o martelo."

O trabalho não o libertará. Ele o matará se você não tomar cuidado.

Os filhos do príncipe Alberto teriam aceitado alegremente uma Grande Exposição menos empolgante em troca de ter o pai por um pouco mais de tempo, assim como teriam a rainha Vitória e o povo britânico.

O e-mail ao qual você pensa que precisa tão desesperadamente responder pode esperar. Seu roteiro não precisa ser apressado, e você pode até fazer uma pausa entre ele e o próximo. A única pessoa que realmente exige que você passe a noite no escritório é você mesmo. Não há problema em dizer não. Não há problema em optar por não receber esse telefonema ou fazer aquela viagem de última hora.

Pessoas sem energia não são capazes de tomar boas decisões. Que tipo de vida interior você pode ter, que tipo de pensamento pode desenvolver quando está completamente esgotado? É um círculo vicioso: acabamos obrigados a trabalhar mais para consertar os erros que cometemos quando deveríamos estar descansando, tendo dito "não" com consciência em vez de dizer "sim" por reflexo. Assim, acabamos afastando pessoas boas (e perdendo relacionamentos) por estarmos tão estressados e termos tão pouca paciência.

É como o touro na canção "Front Porch Song", de Robert Earl Keen, cujo "trabalho nunca está feito". Você quer ser o artista que perde a alegria em relação ao processo, que escavou sua alma de tal maneira que não resta nada para extrair? Queimar de uma vez ou se apagar aos poucos — essa era a questão na carta de suicídio de Kurt Cobain. Como isso pode sequer ser um dilema?

Somos chamados de *ser* humano, em vez de *fazer* humano, por uma razão.

Moderação. Estar presente. Conhecer os próprios limites.

Essa é a chave. Nosso corpo é uma dádiva. Não o mate de trabalhar. Não o queime.

Proteja-o.

VÁ DORMIR

Há um tempo para muitas palavras e há um tempo para dormir.

— Homero, *Odisseia*

American Apparel era uma empresa de 1 bilhão de dólares que faliu por várias razões. Pegou empréstimos demais. Tinha uma cultura tóxica no ambiente de trabalho. Estava cercada de processos judiciais. Abriu lojas em excesso. Tudo isso foi escrito muitas vezes durante a desintegração pública da empresa em 2014.

Mas uma causa da falência — uma razão importante para mais de dez mil pessoas terem perdido seus empregos e uma empresa com 700 milhões de dólares em vendas anuais ter simplesmente desaparecido — foi ignorada pela maioria dos observadores externos.*

Quando Dov Charney fundou a American Apparel, ele tinha a ideia de que seria um chefe completamente acessível. À medida que a empresa cresceu — uma operação num quarto

---

* Eu vi isso em primeira mão.

de dormitório se torna uma grande varejista global e, então, uma das maiores fabricantes de roupas do mundo —, ele se manteve fiel a isso. Na verdade, seu ego inflava com a ideia de estar no centro de todas as partes do negócio.

Era uma verdadeira política de portas abertas. Não só portas abertas, mas telefone e e-mail também. Qualquer empregado, de qualquer nível da empresa, do costureiro ao assistente de vendas ou fotógrafo, podia entrar em contato com ele sempre que tivesse um problema. Como se isso não bastasse, durante uma das muitas crises de relações públicas da empresa, Charney postou seu número de telefone on-line para qualquer jornalista ou cliente que tivesse um problema também.

No início, essa política tinha vantagens. Charney estava sempre em sintonia com o que acontecia na empresa, e isso impedia que a burocracia se estabelecesse e atolasse as pessoas. Mas não somente as vantagens não escalaram bem, como os custos disso também começaram a se fazer sentir.

Dá para imaginar o que aconteceu quando a empresa de repente tinha 250 lojas em vinte países. Em 2012, Charney conseguia dormir apenas algumas horas por noite. Em 2014, ele não dormia. Como poderia? Havia sempre alguém com um problema e alguém *em algum lugar com um fuso horário distante* aproveitando sua política de portas abertas. O inevitável peso da idade também não ajudava.

Em grande medida, foi essa privação de sono extrema e cumulativa a raiz da falência catastrófica da empresa. Como poderia não ser? Pesquisas já mostraram que, quando nos aproximamos de vinte horas sem dormir, nossa capacidade cognitiva fica tão comprometida quanto a de uma pessoa embriagada.

Nosso cérebro responde de forma mais lenta, e nosso julgamento fica significativamente prejudicado.

Em 2014, durante uma transição difícil entre centros de distribuição, Charney mudou-se para o depósito de expedição e processamento, instalando um chuveiro e uma cama dobrável num pequeno escritório. Para ele, e para alguns seguidores obstinados, isso era prova de sua dedicação heroica à empresa. Na verdade, foram as próprias decisões ruins dele que condenaram a transição desde o começo, e depois sua presença constante e o microgerenciamento no local — que se tornou cada vez mais errático conforme o tempo avançava e quanto menos dormia — só agravavam as dificuldades.

Charney mergulhou na loucura diante de seus empregados. Com a barba por fazer. Com cara de sono. Dominado pelo próprio temperamento e sem um mínimo de bom senso ou decoro. Dando ordens que contradiziam ordens que dera minutos antes, ele parecia quase determinado a causar destruição. Mas ele era o chefe. O que as pessoas podiam fazer?

Finalmente, sua *mãe* foi chamada para levá-lo para casa e convencê-lo a cuidar de si mesmo antes que fosse tarde demais. Mas já não era possível salvá-lo. Mesmo de volta ao escritório normal, ele ligava para empregados muito tarde da noite e falava sobre o trabalho até adormecer, descobrindo que desmaiar de exaustão era a única maneira de conseguir se forçar a dormir.

Alguns meses depois do episódio do depósito, Dov Charney estava prestes a perder o controle da empresa. As rodadas de financiamento desesperadas o haviam deixado vulnerável a uma aquisição, mas ele concordou com os termos delas sem avaliar as consequências. Sentado diante de seu conselho administrativo escolhido a dedo, ele misturou pacotes e mais pacotes de pó de Nescafé puro em água fria — essencialmente, injetava cafeína para permanecer acordado. Quando saiu da reunião, já não tinha mais emprego.

Em poucos meses, suas ações da empresa não valiam nada. Investidores e credores encontraram pouco para salvar quando reviraram os escombros. Ele agora deve 20 milhões de dólares a um fundo de cobertura e não tem condições sequer de pagar um advogado.

Foi uma implosão épica em termos relativamente comuns. A pessoa esgotada cria uma crise e tenta resolvê-la com ainda mais trabalho. Erros atrás de erros são cometidos pela mente exausta e delirante. Quanto mais ela tenta, pior se torna a situação e mais irritada *ela* fica porque ninguém valoriza seu sacrifício.

As pessoas dizem "Vou dormir quando estiver morto", enquanto apressam a própria morte, em sentido tanto literal quanto figurado. Elas trocam sua saúde por mais horas de trabalho. Trocam a viabilidade no longo prazo de seus negócios ou suas carreiras frente à urgência de alguma crise temporal.

Se tratamos o sono como um luxo, ele é o primeiro a ir embora quando estamos ocupados. Se sono é o que acontece quando tudo está feito, o trabalho e os outros sempre vão invadir seu espaço pessoal. Você se sentirá exausto e explorado, como uma máquina da qual as pessoas não cuidam e supõem que sempre funcionará.

O filósofo e escritor Arthur Schopenhauer afirmava que "o sono é a fonte de toda a saúde e energia". E colocou isso ainda melhor em outra ocasião: "O sono são os juros que temos de pagar sobre o capital que é cobrado na morte. Quanto mais alta a taxa de juros, e quanto mais regularmente ela é paga, mais a data de resgate é adiada."

Arianna Huffington acordou no chão de seu banheiro alguns anos atrás, coberta de sangue, com a cabeça explodindo de dor. Ela tinha desmaiado de cansaço e quebrado a maçã do rosto. Sua irmã, que estava no apartamento na ocasião, lembra do som terrível que o corpo fez ao bater no ladrilho. Foi um sinal de alerta para as duas. Aquilo não era jeito de viver. Não havia nenhum glamour em se exaurir, trocando o sono por mais uma teleconferência, alguns minutos na televisão ou uma reunião com alguém importante.

Isso não é sucesso. É tortura. E nenhum ser humano pode suportá-la por muito tempo. De fato, nossa mente e alma são incapazes de ter paz quando nosso corpo está lutando para sobreviver, quando está recorrendo a suas reservas mesmo para as funções básicas. Felicidade? Quietude? Fruir a solitude ou a beleza de seu ambiente? Fora de questão para o tolo exausto e sobrecarregado.

O engenheiro com os olhos injetados de sangue que entornou seis Red Bulls não tem nenhuma chance de encontrar quietude. Tampouco a recém-formada — ou não tão recém-formada — que ainda vai a festas como se estivesse na faculdade. Nem o escritor que planeja mal e promete a si mesmo que terminará seu livro numa maratona de três dias sem dormir. Um estudo de 2017 descobriu que, na verdade, falta de sono aumenta o pensamento repetitivo negativo. O abuso do corpo leva a mente a abusar de si mesma.

O sono é o outro lado da moeda do nosso trabalho — é a recarga das baterias internas, cujas reservas de energia convocamos para fazer nosso trabalho. É uma prática meditativa.

É quietude. É o momento em que nos *desligamos*. Está incorporado em nossa biologia por uma razão.

Temos uma quantidade limitada de energia para nosso trabalho, para nossos relacionamentos, para nós mesmos. Uma pessoa inteligente compreende isso e a protege com cuidado. Os grandes protegem seu sono porque é de onde vem seu melhor estado de espírito. Eles dizem não a coisas. Vão se deitar quando atingem seu limite. Não deixam a privação de sono aos poucos sabotar seu julgamento. Eles sabem que algumas pessoas conseguem ficar sem dormir, mas têm inteligência e autoconsciência suficientes para saber também que todo mundo é melhor quando está descansado.

Anders Ericsson, do clássico estudo das dez mil horas, constatou que os mestres violinistas dormiam oito horas e meia por noite em média e faziam uma sesta na maioria dos dias. (Um amigo disse de Churchill: "Ele fez em Cuba uma descoberta que se provaria muito mais importante para sua vida futura que qualquer ganho em experiência militar: os poderes vivificadores da sesta.") Segundo Ericsson, os grandes jogadores fazem *mais* sestas que os inferiores.

Como o mestre zen Hakuin se preparou para sua épica conferência, *The Records of Old Sokko*? Ele dormiu. Muito. Dormiu tanto que um de seus discípulos disse que "seus roncos reverberavam pela casa como estrondos de trovão". Isso se prolongou por mais de um mês, com Hakuin acordando apenas para receber algum visitante ocasional. Mas todos os outros minutos eram passados de bruços, desmaiado num sono ditoso, tranquilo.

Seus ajudantes, que ainda não tinham aprendido a apreciar o poder do sono, começaram a se preocupar. O dia em que as palestras seriam proferidas se aproximava. Quando o mestre ia começar a levar isso a sério? Ou ia apenas desperdiçar seus dias dormindo? Eles lhe suplicavam que começasse a trabalhar enquanto ainda era tempo. Ele simplesmente se virava e dormia um pouco mais. Por fim, quando o prazo final estava quase se esgotando, Hakuin se levantou, porém sem a menor urgência. Sentando-se, ele chamou seus ajudantes e começou com perfeita clareza a ditar a conferência.

Estava tudo lá. E era brilhante.

Era o produto de uma mente descansada que cuidava de seu corpo. Uma alma saudável que podia dormir profundamente. E ecoou através das eras.

Se você quer paz, só há uma coisa a fazer. Se quer ser o seu melhor, só há uma coisa a fazer.

Vá dormir.

ENCONTRE UM HOBBY

Esta é a principal questão, com que atividade nossas horas vagas são preenchidas.

— Aristóteles

William Gladstone, quatro vezes primeiro-ministro da Inglaterra, na geração anterior à de Winston Churchill, tinha um hobby incomum. Ele gostava de ir para a mata perto de sua casa e derrubar árvores.

Árvores enormes. Sozinho.

Em janeiro de 1876, ele passou dois dias inteiros trabalhando em um olmo com uma circunferência de quase cinco metros. A partir do diário de Gladstone, observamos que em mais de *mil* ocasiões ele foi para a floresta com seu machado, muitas vezes levando a família junto e transformando isso num passeio. Diziam que ele ficava tão imerso no processo que não conseguia pensar em nada exceto onde daria o próximo golpe de machado.

Muitos, entre os quais por acaso se encontrava o pai de Churchill, criticaram o hobby de Gladstone, chamando-o de destrutivo. Na realidade não era. Gladstone plantou muitas árvores em sua vida, podou centenas de outras e protegeu agressivamente a saúde das florestas próximas à sua casa, acreditando que remover árvores mortas ou decadentes era um serviço menor, mas importante. Em resposta a alguns críticos que questionaram por que derrubara determinado carvalho, ele explicou que a remoção dos membros podres da floresta permitia que mais luz e ar chegassem às árvores boas — assim como na política (uma piada pela qual foi prontamente aplaudido). Suas filhas também vendiam como lembranças lascas de madeira das árvores que o pai derrubara, para arrecadar dinheiro para caridade.

Acima de tudo, porém, a atividade madeireira de Gladstone era uma maneira de descansar uma mente frequentemente exaurida pela política e os estresses da vida. Durante seus últimos três mandatos como primeiro-ministro, de 1880 ao início dos anos 1890, Gladstone esteve inspecionando ou derrubando árvores na floresta mais de trezentas vezes. O machado não era tampouco a única ferramenta que ele usava para relaxar ou estar presente. Dizia-se também que, até uma idade muito avançada, Gladstone gostava de fazer caminhadas vigorosas e de escalar montanhas, e a única coisa que aparece mais em seu diário que derrubada de árvores é leitura. (Ele colecionou e leu cerca de 25 *mil* livros durante sua vida.) Essas atividades eram um alívio das pressões da política, um desafio em que o esforço sempre era recompensado e no qual seus adversários não podiam interferir.

Sem essas válvulas de escape, quem sabe se ele teria sido um líder tão bom? Sem as lições que aprendeu naquelas matas — sobre persistência, sobre paciência, sobre fazer o seu melhor, sobre a importância do impulso e da gravidade —, teria ele travado o longo e bom combate pelas causas em que acreditava?

Não.

Quando a maioria de nós ouve a palavra "lazer", pensamos em relaxar por aí sem fazer nada. Na verdade, isso é uma deturpação de uma noção sagrada. Em grego, "lazer" é traduzido como *scholé* — isto é, *escola*. Lazer, historicamente, significava apenas liberdade do trabalho necessário para sobreviver, liberdade *para* se envolver em atividades intelectuais ou criativas. Significava aprendizado e estudo e a busca de coisas mais elevadas.

À medida que a sociedade avançou e os trabalhos tornaram-se cada vez menos físicos, mas mais exaustivos mental e espiritualmente, tornou-se comum que o lazer incluísse uma diversificada série de atividades, da leitura à carpintaria. Jesus, por exemplo, descansava na água, pescando com seus discípulos. Sêneca escreveu sobre como Sócrates gostava de brincar com crianças, como Catão gostava de relaxar com vinho, como Cipião era apaixonado por música. E sabemos disso porque o que o próprio Sêneca fazia para descansar da política era escrever cartas reflexivas e filosóficas para os amigos. John Cage escolheu como hobby a caça aos cogumelos. Ele observou que perambular pelo bosque abria a mente e estimulava as ideias a "voarem para dentro da nossa cabeça como pássaros". Fred Rogers tinha sua natação. Santa Teresa de Ávila gostava de dançar, assim como Mae Carol Jemison, a primeira mulher afro-americana a ir para o espaço. Simón Bolívar também achava a dança uma ferramenta útil para equilibrar os assuntos do Estado e os fardos da revolução. O escritor David Sedaris gosta de caminhar pelas estradas secundárias de sua vizinhança no interior da Inglaterra e recolher lixo, e frequentemente faz isso por horas a fio. John Graves dedicou-se a construir seu rancho no Texas Hill Country, consertando cercas, criando gado e cultivando a terra. Herbert Hoover gostava tanto de pescar que escreveu um livro sobre o tema e o intitulou Fishing for Fun: And to Wash Your Soul [Pesca para se divertir: e para lavar sua alma].

O espadachim Musashi, cujo trabalho era agressiva e violentamente físico, começou tarde na vida a pintar e observou que todas as formas de arte se enriqueciam mutuamente. De fato, arranjos de flores, caligrafia e poesia foram por muito tempo populares entre os generais e guerreiros japoneses, uma maravilhosa combinação de opostos — força e suavidade, quietude e agressão. Hakuin, o mestre zen, destacou-se na pintura e na caligrafia, produzindo milhares de obras durante sua vida. O campeão da NBA Chris Bosh aprendeu programação sozinho. Einstein tinha seu violino. Pitágoras, sua lira. William Osler, o fundador da Universidade Johns Hopkins, dizia aos aspirantes ao curso de medicina que, quando a química ou a anatomia afligissem sua alma, deviam "buscar paz no grande pacificador, Shakespeare".

Ler. Lutar boxe. Colecionar selos. Não importa o quê. Deixe uma atividade ajudá-lo a relaxar e encontrar paz.

Em seu ensaio sobre o lazer, Josef Pieper escreveu que "a capacidade de estar 'ocioso' é um dos poderes básicos da alma humana". Mas isso é o mais interessante a respeito do lazer. É um estado físico — uma *ação* física — que de alguma maneira reabastece e fortalece a alma. Lazer não é ausência de atividade, é atividade. O que está ausente é qualquer justificativa externa — você não pode praticar o lazer por dinheiro, não pode praticá-lo para impressionar os outros.

Você tem de praticá-lo *para você*.

Mas a boa notícia é que lazer pode ser qualquer coisa. Pode ser plantar árvores ou aprender outra língua. Acampar ou restaurar carros velhos. Escrever poesia ou tricotar. Correr maratonas, montar a cavalo ou caminhar pela praia com um detector de metal. Pode ser, como foi para Churchill, pintar ou assentar tijolos.

Pieper disse que o lazer era como fazer uma oração antes de dormir. Isso pode ajudá-lo a adormecer — assim como o lazer pode ajudá-lo a se tornar melhor em seu trabalho —, mas esse não pode ser o objetivo.

Muitas pessoas encontram alívio no exercício físico vigoroso. Claro, isso pode torná-las mais fortes no trabalho, mas não é por isso que elas se exercitam. É meditativo pôr o corpo em movimento e usar nossos esforços mentais para vencer limitações físicas. A repetição do nado, o desafio de levantar grandes pesos, a falta de fôlego de uma corrida de velocidade — há uma experiência de limpeza, mesmo que ela seja acompanhada por sofrimento. Há uma sensação maravilhosa pouco antes que o suor irrompa, quando conseguimos sentir que estamos puxando o estresse dos recessos profundos de nossa alma e nossa mente consciente e depois expelindo para fora do corpo.

"Se uma ação cansa seu corpo, mas deixa seu coração relaxado, pratique-a", disse Xunzi. Há uma razão para que os filósofos no Ocidente frequentemente treinassem luta livre e boxe, ao passo que os filósofos no Oriente treinavam artes marciais. Não são atividades fáceis e, se você não estiver presente enquanto as pratica, vai acabar apanhando.

O objetivo não é apenas ocupar nossas horas ou distrair a mente. Trata-se antes de praticar uma atividade que ao mesmo tempo nos desafie e relaxe. Alunos observaram que, em seus momentos de lazer, Confúcio ficava "com compostura e contudo inteiramente à vontade". (Dizia-se também que ele era muito hábil em tarefas "subalternas".) Essa é a ideia. É uma oportunidade de praticar e encarnar a quietude, mas em outro contexto.

É nesse lazer, observou Ovídio, que "revelamos que tipo de pessoas somos".

Montando um quebra-cabeça, sofrendo para aprender a tocar violão, sentado numa manhã tranquila num esconderijo de caça, firmando uma espingarda ou um arco enquanto esperamos um cervo, servindo sopa num abrigo para os sem-teto. Nossos corpos estão ocupados, mas nossas mentes estão livres. Assim como nossos corações.

É claro que o lazer pode facilmente se tornar uma fuga, mas, no segundo em que isso acontece, ele perde o propósito. Quando começamos a praticar algo relaxante e o transformamos numa compulsão, isso não é lazer, pois não estamos mais *escolhendo* fazê-lo.

Não há quietude nisso.

Embora não queiramos que nosso lazer se torne trabalho, temos de *trabalhar* para criar tempo para ele. "Para mim", escreveu Nixon em suas memórias, "muitas vezes é mais difícil estar longe do trabalho do que trabalhando nele". No trabalho, estamos ocupados. Somos necessários. Temos poder. Somos validados. Temos conflitos e urgências e um fluxo interminável de distrações. Nixon afirmou que a labuta constante era "absolutamente necessária para o desempenho superior". Mas o desempenho dele era realmente tão superior? Ou esse era todo o problema?

No lazer, estamos com nós mesmos. Estamos presentes. Somos nós, a vara de pescar e o som da isca mergulhando na água. Somos nós e a espera, renunciando ao controle. Somos nós e o material didático da língua que estamos aprendendo. É a humildade de ser ruim em alguma coisa porque somos iniciantes, mas tendo a confiança para acreditar no processo.

Ninguém está nos obrigando a fazer isso. Podemos abandonar se tivermos dificuldade, podemos procurar atalhos e trapacear (enganando a nós mesmos) sem medo das consequências. Não há nenhum dinheiro em jogo para nos motivar, não há recompensas ou validação a não ser a experiência. Praticar bem um lazer — estar presente, estar aberto, ser virtuoso, estar conectado — é difícil. Não podemos deixar que ele se transforme num trabalho, em mais uma coisa para dominarmos e através da qual dominar os outros.

Temos de ser disciplinados com relação à nossa disciplina e moderados em nossa moderação.

A vida é uma questão de equilíbrio, não de oscilar de um polo a outro. Há pessoas demais se alternando entre trabalhar e empanturrar-se, seja de televisão, de comida, de videogames, de ficar deitadas se perguntando por que estão entediadas. O caos da vida leva ao caos de planejar férias.

Sentar-se sozinho com uma tela? Um clube do livro? Uma tarde inteira para andar de bicicleta? Quem tem tempo para isso?

Se Churchill tinha tempo, se Gladstone tinha tempo, você tem tempo.

Meu trabalho não será prejudicado se eu me afastar dele?
Sêneca mostrou como estamos dispostos a correr riscos por recompensas incertas em nossa carreira — mas tememos arriscar até um minuto de tempo com o lazer.

Não há por que se sentir culpado por estar ocioso. Não é irresponsabilidade. É um investimento. Nós nos nutrimos das atividades sem propósito — esse é o propósito delas.

O lazer também é uma recompensa pelo trabalho que fazemos. Quando pensamos sobre o ideal de "homem do Renascimento", vemos alguém que é ativo e ocupado, sim, mas também realizado e equilibrado. Conhecer a si mesmo é o luxo decorrente do sucesso que você teve. Encontrar realização e alegria na busca de coisas mais elevadas, você merece isso. A oportunidade está aí, aproveite.

Crie o tempo. Construa a disciplina.

Você merece isso. Precisa disso.

Sua quietude depende disso.

CUIDADO COM O ESCAPISMO

Quanto sou infeliz! Por onde posso fugir
De sua cólera infinita e de meu infinito desespero?
Só o Inferno essa fuga me depara: eu sou Inferno
pior!*

— John Milton

Depois do fracasso inesperado de seu excelente romance *Pergunte ao pó*, John Fante precisava escapar da esmagadora decepção. Ele teria gostado de cair na estrada, fugir da cidade e do estado que lhe haviam partido o coração, mas não podia. Fante estava ora pobre demais, ora bem-sucedido demais como roteirista para se permitir deixar Hollywood. E, pouco depois disso, estaria casado demais e com filhos demais para sustentar.

Ao longo dos anos, ele encontrou muitas maneiras de anestesiar a dor. Jogando fliperama por horas a fio (seu vício era

---

* Me miserable! which way shall I fly / Infinite wrath, and infinite despair? / Which way I fly is Hell; myself am Hell. A tradução acima é de Antônio José Lima Leitão em John Milton, *Paraíso perdido* (São Paulo, Martin Claret, 2006).

extremo o bastante para ser imortalizado como um personagem na peça *The Time of Your Life*, de William Saroyan). Bebendo por horas a fio em bares de Hollywood, onde tinha a companhia de F. Scott Fitzgerald e William Faulkner. Passando tantas horas no campo de golfe que transformou sua sempre paciente esposa, Joyce, numa viúva do golfe.

Não era restauração que Fante perseguia, nem lazer: era *fuga* da vida real.

Segundo seu próprio relato, Fante desperdiçou décadas jogando golfe, lendo, bebendo e, por extensão, *não* escrevendo romances. Porque isso era melhor do que ser rejeitado repetidas vezes. Porque era mais fácil do que se sentar sozinho numa sala e travar batalha com os demônios que eram justamente o que tornava sua escrita tão bela.

Essa é a diferença entre lazer e escapismo. É a intenção. Viajar é maravilhoso, mas não há certa tristeza na história de Johnny Cash, quando seu primeiro casamento se desfez e sua música se tornou mais previsível e menos gratificante? Ao pousar em Los Angeles no fim de uma longa turnê, em vez de ir para casa ver sua família, ele se dirigiu ao balcão e pediu para comprar uma passagem. Para onde? "Para onde quer que o próximo avião esteja indo", disse ele ao funcionário.

Desespero e inquietude caminham juntos.

O problema é que você não pode fugir do desespero. Não pode escapar, com seu corpo, de problemas que existem em sua mente e alma. Não pode se safar de suas escolhas — pode apenas consertá-las com escolhas melhores.

Não há nada de errado com umas boas férias (especialmente se o objetivo for solitude e silêncio) ou uma partida de golfe, assim como não há nada de errado em tomar uma cerveja para relaxar. Sem dúvida Churchill gostava de viajar e apreciava champanhe, embora fosse péssimo no golfe.

Mas com frequência os frenéticos ou os infelizes pensam que uma fuga — literal ou química — é algo positivo. Claro, a agitação de viajar, a emoção de surfar ou o estado alterado causado por um alucinógeno podem aliviar parte da tensão que está acumulada em nossa vida. Talvez isso lhe renda algumas fotos bonitas e alguma pseudoprofundidade para impressionar seus amigos.

Mas e quando isso passa? O que sobra?

Nixon assistiu a quase *quinhentos* filmes durante o tempo que passou na Casa Branca. Conhecemos a escuridão da qual ele estava fugindo. Não há dúvida de que, para Tiger Woods, seus vícios eram em parte impulsionados por um desejo de escapar da dor que restara de sua infância. Mas, cada vez que ele embarcava num voo privado para Las Vegas em vez de se abrir com a esposa (ou com o pai enquanto ele ainda estava vivo), Tiger estava se pondo numa situação que lhe traria mais dor no futuro. Cada vez que John Fante ia para o campo de golfe em vez de ir para sua máquina de escrever, ou saía para beber em vez de ficar em casa, isso podia servir como uma fuga temporária, mas lhe custava muito caro.

Enquanto você adia e atrasa, os juros estão se acumulando. A conta ainda vai vencer… e pagá-la depois será ainda mais difícil do que imediatamente.

A única coisa de que você não pode escapar na sua vida é de *você mesmo*.

Qualquer pessoa que tenha viajado o suficiente sabe disso. Acaba ficando claro que carregamos na estrada mais bagagem do que apenas malas e mochilas.

Emerson, que em sua vida viajou para a Inglaterra, Itália, França, Malta e Suíça (além de extensamente por todos os Estados Unidos), observou que as pessoas que construíram as atrações e maravilhas que os turistas gostam de ver não o fizeram enquanto viajavam. Não é possível fazer algo grandioso rodopiando por aí. É preciso *se fincar com firmeza*, como um eixo da terra. Aqueles que pensam que vão encontrar soluções para todos os seus problemas viajando para longe de casa, talvez ao contemplar o Coliseu ou alguma enorme estátua de Buda coberta de musgo, disse Emerson, estão trazendo *ruínas para ruínas*. Onde quer que vão, o que quer que façam, seu triste eu os acompanha.

Passagens aéreas ou pílulas ou remédios à base de plantas são uma esteira ergométrica, não um atalho. O que você procura só virá se você pausar para se esforçar, se sondar a si mesmo com real autoconsciência e paciência.

Você precisa estar tranquilo o suficiente para descobrir o que de fato está se passando. Tem de deixar a lama misturada à água assentar. Isso não vai acontecer se você estiver voando de um lugar para outro, se estiver enchendo sua agenda com todas as atividades imagináveis no intuito de evitar ter de passar um momento sozinho com seus próprios pensamentos.

No século IV a.C., Mengzi falou sobre como o Caminho está próximo, mas as pessoas o procuram na distância. Algumas gerações depois, Marco Aurélio ressaltou que não precisamos "nos afastar de tudo", precisamos apenas *olhar para dentro*: "Nenhum lugar onde se possa ir é mais tranquilo, mais livre de interrupções do que sua própria alma."

Da próxima vez que sentirmos o desejo de fugir, de cair na estrada ou de nos jogarmos no trabalho ou em outras atividades, precisamos nos conter. Não reserve um voo até o outro lado do país — em vez disso, vá fazer uma caminhada. Não se embriague — encontre alguma solitude, algum silêncio. Essas estratégias são muito mais fáceis, muito mais acessíveis e, em última análise, muito mais sustentáveis para termos acesso à quietude com que nascemos. Viaje dentro de seu coração e sua mente, deixe seu corpo ficar quieto. "Uma visita rápida deve ser suficiente para afastar tudo", escreveu Marco, "e enviá-lo de volta pronto para encarar o que o espera."

Dessintonizar-se não leva a nada. *Sintonize-se*.

Se paz e clareza verdadeiras são o que você busca na vida — e, a propósito, são o que você merece —, saiba que vai encontrá-las perto. Finque-se com firmeza, como disse Emerson. Transforme-se em você mesmo. Fique no lugar.

Fique parado diante do espelho. Passe um tempo na sua varanda.

Você recebeu um corpo quando nasceu — não tente ser outra pessoa, em seu lugar. Conheça melhor a si mesmo.

Construa uma vida da qual você não precise fugir.

AJA COM CORAGEM

Ver pessoas que percebem uma necessidade no mundo e fazem alguma coisa a respeito... Esses são os meus heróis.

— Fred Rogers

No último romance de Camus, *A queda*, o narrador, Clamence, caminha sozinho por uma rua em Amsterdã quando ouve o que parece ser uma mulher caindo na água. Ele não está totalmente certo de que foi isso que escutou, mas, acima de tudo, sentindo-se nas nuvens após uma noite agradável com sua amante, não quer ser incomodado, por isso segue em frente.

Advogado respeitado, com a reputação de ser uma pessoa de grande virtude em sua comunidade, Clamence volta à sua vida normal no dia seguinte e tenta esquecer o som que ouviu. Ele continua a representar clientes e a entreter seus amigos com argumentos políticos persuasivos, como sempre fez.

Contudo, começa a se sentir mal.

Um dia, após triunfar ao defender um cliente cego no tribunal, Clamence tem a impressão de estar sendo objeto de zombaria e risos por parte de um grupo de desconhecidos que não consegue localizar. Mais tarde, ao aproximar-se de um motorista parado num cruzamento, é insultado e depois agredido. Esses embates não têm relação entre si, mas contribuem para um enfraquecimento das ilusões que ele mantém há muito tempo sobre si mesmo.

Não é com uma epifania ou com um golpe na cabeça que a monstruosa verdade do que ele fez se torna clara. É uma compreensão que chega a Clamence de forma lenta e progressiva e muda sua percepção de si mesmo súbita e irrevogavelmente: naquela noite no canal, ele ignorou uma oportunidade de salvar alguém do suicídio.

Essa compreensão é a perdição de Clamence e o foco central do livro. Forçado a ver o vazio de suas pretensões e a vergonha de suas deficiências, ele desmorona. Tinha acreditado ser um bom homem, mas quando o momento (na verdade, os momentos) exigiu bondade, ele escapuliu.

É um pensamento que o assombra incessantemente. Quando ele anda pelas ruas à noite, o grito daquela mulher — aquele que ignorou tantos anos antes — nunca cessa de atormentá-lo. Esse grito brinca com ele também, porque sua única esperança de redenção é ouvi-lo novamente na vida real e então agarrar a oportunidade de mergulhar e salvar alguém do fundo do canal.

É tarde demais. Ele fracassou. Nunca voltará a ficar em paz.

A história é ficcional, é claro, mas profundamente incisiva, escrita não por coincidência no rescaldo dos incríveis fracassos morais da Europa na Segunda Guerra Mundial. A mensagem de Camus para o leitor nos trespassa como o grito da mulher na lembrança de Clamence: pensamentos virtuosos têm seu valor, mas tudo o que importa é o que você *faz*. A saúde de nossos ideais espirituais depende do que fazemos com nossos corpos na hora da verdade.

Vale a pena comparar a agonia e tortura de Clamence com um exemplo mais recente de outra filósofa francesa, Anne Dufourmantelle, que morreu em 2017, aos 53 anos, ao correr até a arrebentação para salvar duas crianças que se afogavam e que não eram seus filhos. Em seus textos, Anne falara muitas vezes sobre risco — que era impossível viver sem ele e que, de fato, *vida é risco*. É na presença de perigo, afirmou ela certa vez numa entrevista, que somos agraciados com o "forte incentivo à ação, à dedicação e à nossa própria superação".

E quando, na praia de Saint-Tropez, ela se deparou com um momento de perigo e risco, uma oportunidade para desviar o olhar ou *fazer o bem*, ela levou à plenitude a devoção aos próprios ideais.

O que é melhor? Viver como um covarde ou morrer como um herói? Sentir-se deploravelmente aquém do que sabemos ser certo ou tombar no cumprimento do dever? E o que é mais natural? Rejeitar o apelo de seus semelhantes ou mergulhar, com coragem, e ajudá-los quando eles precisam de nós?

A quietude não é uma desculpa para afastar-se das questões do mundo, muito pelo contrário: é uma ferramenta para se permitir fazer mais o bem para mais pessoas.

Nem os budistas nem os estoicos acreditavam no que veio a ser chamado de "pecado original" — que somos uma espécie decaída, defeituosa e imperfeita. Ao contrário, acreditavam que nascíamos bons. Para eles, a expressão "Seja natural" era o mesmo que "Faça a coisa certa". Para Aristóteles, a virtude não era apenas algo contido na alma — era o modo como vivíamos. Era o que fazíamos. Ele a chamava de *eudaimonia*: florescimento humano.

Uma pessoa que faz escolhas egoístas ou age contrariamente à sua consciência nunca estará em paz. Uma pessoa que descansa enquanto outras sofrem ou enfrentam dificuldades nunca se sentirá bem, nem sentirá que ela é *suficiente*, por mais que realize e por mais impressionante que possa ser sua reputação.

Uma pessoa que *faz* o bem frequentemente se sentirá bem. Uma pessoa que contribui para sua comunidade se sentirá parte dela. Uma pessoa que faz bom uso do próprio corpo — oferecendo-se como voluntária, protegendo, servindo, *defendendo* — não precisará tratá-lo como um parque de diversões para obter algumas emoções.

A virtude não é uma noção abstrata. Não estamos limpando nossa mente e separando o essencial do não essencial a fim de impressionar os outros com algum truque. Nem estamos nos aperfeiçoando com a intenção de ficar mais ricos e mais poderosos.

Estamos fazendo isso para vivermos melhor e *sermos* melhores.

Cada pessoa que encontramos e cada situação em que nos vemos é uma oportunidade para provar isso.

É o velho lema dos escoteiros: "Praticar uma boa ação diariamente."

Algumas boas ações são grandes, como salvar uma vida ou proteger o meio ambiente. Mas os escoteiros aprendem que as boas ações também podem ser pequenas, como um gesto atencioso, cortar a grama de um vizinho, ligar para a emergência quando você vê algo errado, segurar uma porta aberta, fazer amizade com um aluno novo na escola. É o valente que faz essas coisas. E são essas pessoas que fazem com que valha a pena viver no mundo.

Marco Aurélio falou de passar de uma ação altruísta para outra — "somente aí", disse ele, podemos encontrar "alegria e quietude". Na Bíblia (Mateus, 5:6) diz que aqueles que praticam o bem serão satisfeitos por Deus. Um número grande demais de fiéis parece pensar que *crença* é suficiente. Quantas pessoas que afirmam ser dessa ou daquela religião, se apanhadas e investigadas, seriam consideradas culpadas de *viver* as doutrinas de amor, caridade e abnegação?

O que importa são nossas *ações*.

Pegue o telefone e ligue para alguém para dizer como essa pessoa é importante. Compartilhe sua riqueza. Candidate-se a um trabalho voluntário. Recolha o lixo que vir no chão. Intervenha quando alguém estiver sendo intimidado. Intervenha mesmo que você esteja com medo, mesmo que possa se machucar. Diga a verdade. Mantenha suas promessas, cumpra sua palavra. Estenda a mão a alguém que caiu.

Pratique as boas ações *difíceis*. "Você deve fazer aquilo que não consegue fazer", disse Eleanor Roosevelt.

Vai ser assustador. Nem sempre será fácil, mas você sabe que junto da bondade está a verdadeira quietude.

Pense em Dorothy Day, e de fato em muitas outras freiras católicas menos famosas, que se extenuavam ajudando os outros. Embora pudessem lhes faltar bens materiais e riqueza, elas encontravam grande consolo vendo os abrigos que tinham oferecido e a autoestima que tinham ajudado a restaurar em pessoas abandonadas pela sociedade. Comparemos isso com a ansiedade dos pais preocupados demais com a vida escolar dos filhos, que não pensam em nada senão em que pré-escola matricular seu bebê, ou com o sócio fraudador que está a apenas uma auditoria de ser desmascarado. Compare isso à insegurança angustiante que sentimos por saber que não estamos vivendo da maneira como deveríamos, ou que não estamos fazendo o bastante pelos outros.

Se você vê uma fraude e não diz "fraude", afirmou o filósofo Nassim Taleb, *você é uma fraude*. Pior, você se sente uma fraude. E nunca se sentirá orgulhoso, feliz ou confiante.

Vamos ficar abaixo das nossas próprias expectativas? Sim. Quando isso acontece, não precisamos nos flagelar, como fez Clamence, devemos simplesmente deixar que isso nos instrua e ensine, como fazem todas as feridas.

É por isso que os grupos de apoio de doze passos pedem a seus membros que sejam prestativos como parte de sua recuperação. Não porque boas ações possam desfazer o passado, mas porque elas nos ajudam a sair das nossas cabeças e, no processo, nos ajudam a escrever o roteiro para um futuro melhor.

Se queremos ser bons e nos sentir bem, temos que *fazer* o bem.

Não há como escapar disso.

Mergulhe quando ouvir o grito de socorro. Estenda a mão quando vir necessidade. Faça gentileza onde puder.

Porque senão você terá de viver com a consequência de suas escolhas.

PASSEMOS AO ÚLTIMO ATO

Assim como um dia bem passado traz um sono feliz,
uma vida bem empregada traz uma morte feliz.

— LEONARDO DA VINCI

Era o ano 161 d.C. e o imperador Antonino Pio sabia que ia morrer. Ele tinha 74 anos e podia sentir a vida deixando seu corpo. Uma febre se apossara dele, e seu estômago doía muito. Com as forças que lhe restavam, chamou o filho adotivo Marco Aurélio ao quarto e iniciou o processo de transferir-lhe o Estado. Ao fim dessa tarefa, Antonino voltou-se para a audiência real e pronunciou sua última palavra — palavra que ecoaria não apenas durante a vida de seu filho mas durante toda a história, chegando até nós hoje: *aequanimitas*.

Algumas centenas de anos antes, em aproximadamente 400 a.C., Buda aceitou com igual equanimidade que ele também logo deixaria esta Terra. Era um pouco mais velho que Antonino, mas não endossara um sucessor, pois, embora tivesse nascido príncipe, havia renunciado ao patrimônio na busca da iluminação. Ainda assim, podia perceber que seus discípulos estavam preocupados em perdê-lo, em como continuariam sua jornada sem sua orientação e amor.

"Vocês podem estar pensando", disse-lhes, "'A palavra do Mestre é agora uma coisa do passado; agora não temos mais mestre.' Mas não é assim que deveriam encarar isso. Deixem que o Darma e a Disciplina que lhes ensinei sejam seu Mestre quando eu me for."

Então, tal como fizera Antonino, ele se preparou para suas últimas palavras. Sua última oportunidade de transmitir sabedoria às pessoas que amava, às pessoas que ele sabia que enfrentariam todas as dificuldades que a vida nos impõe. "Todas as coisas individuais passam", disse. "Procurem sua libertação com diligência."

Em seguida, Buda entrou num sono profundo e nunca mais despertou.

É apropriado que entre as mortes desses dois titãs tenha surgido Epicuro, o filósofo cuja maneira de viver estende uma ponte quase perfeita entre as escolas orientais e ocidentais. Em 270 a.C., ele também teve o autoconhecimento para saber que não lhe restava muito mais tempo. "Neste dia feliz, que é o último da minha vida", Epicuro começou sua última carta, "escrevo as seguintes palavras para vós." Apesar da dor considerável que sentia, seu corpo atormentado pelas obstruções na bexiga e nos intestinos, ele escreveu não sobre isso, mas sobre a alegria em seu coração e as afetuosas lembranças que tinha das conversas com os amigos. Então chegou ao objetivo de sua carta — uma série de instruções para o cuidado de um pupilo promissor que ele queria assegurar que fosse bem tratado. Dentro de algumas horas e sem muita ostentação, Epicuro se uniria a Buda e a Antonino na eternidade, na morte.

Três abordagens. Diferentes, mas no fim iguais.
Claras.
Calmas.
Amáveis.
Tranquilas.
Cada um dos domínios que estudamos abordados à sua própria maneira.
A mente.
A alma.
O corpo.
O mental. O espiritual. O físico.
Três pernas num tamborete. Três pontos ao redor de um círculo perfeito.

Nenhum de nós tem muito tempo de vida. A morte paira sobre todos, quer percebamos ou não, quer acreditemos nisso ou não.

Amanhã, poderíamos descobrir que temos câncer. Dentro de duas semanas, um galho pesado poderia cair de uma árvore e nos levar com ele. O prognóstico é terminal para absolutamente todas as pessoas, e é assim desde o momento em que nascemos. Nosso coração bate sem falhar por um tempo incerto, e então um dia, de repente, fica quieto.

Memento mori.

Esse é um fato que, talvez mais do que qualquer outra coisa, é responsável por quantidades incríveis de ansiedade e angústia. É assustador pensar que vamos morrer. Assim como o fato de que não podemos saber ao certo o que acontecerá quando a morte chegar, seja lá quando for. Existe céu? Ou inferno? A morte é dolorosa? É o nada, um abismo escuro e moroso do tempo?

Sêneca lembrou que antes de nascer estávamos tranquilos e em paz, e assim estaremos de novo depois de morrer. Uma luz não perde nada ao ser apagada, disse ele, apenas volta a ser como era antes.

A negação dessa realidade simples e despretensiosa — a negação da morte — é a razão por que tentamos construir monumentos à nossa própria grandeza, a razão de nos preocuparmos e discutirmos tanto, de perseguirmos prazer e dinheiro e de não conseguirmos ficar quietos enquanto estamos vivos. É irônico que gastemos tanto de nosso precioso tempo na Terra ou lutando impotentemente contra a morte ou tentando inutilmente não pensar nela.

Foi Cícero quem disse que *estudar filosofia é aprender como morrer*.

A maior parte deste livro fala sobre como viver bem. Mas, ao fazer isso, acaba falando também sobre como morrer bem. Porque são a mesma coisa. A morte é onde os três domínios que estudamos nestas páginas se encontram.

Devemos aprender a pensar racional e claramente sobre o nosso próprio destino.

Devemos encontrar significado espiritual e bondade enquanto estamos vivos.

Devemos tratar bem o recipiente que habitamos neste planeta ou seremos obrigados a abandoná-lo cedo.

A morte traz um fim para tudo, para nossa mente, nossa alma e nosso corpo, numa quietude final e permanente.

Assim, este livro também termina nela.

EPÍLOGO

Começa a cair a tarde agora, e é hora de eu me levantar do computador, tendo feito algum progresso nas páginas que você acaba de ler. Anos atrás saí da cidade agitada e instalei minha família aqui, numa fazendinha fora da cidade, com uma fotografia de Oliver Sacks e seu sinal de "Não!" pendurado acima da minha escrivaninha. Agora que meu dia de escrita chegou ao fim, tenho trabalho a fazer na fazenda — galinhas a alimentar, alguns jumentos para agradar com cenouras e cercas a inspecionar. Um pouco como no enredo daquele poema zen sobre a domesticação do touro, o *longhorn* do meu vizinho entrou na minha propriedade e preciso ir à sua procura.

Meu filho pequeno me ajuda a carregar algumas ferramentas na traseira do quadriciclo — "o trator, o *tuatô!*", diz ele — e depois eu o abraço e desço em direção ao dique, até o pasto do meio e depois recuo junto ao riacho. A cerca ali começou a bambear por causa das intempéries e das explorações do touro perdido, e passo a hora seguinte agarrando e apertando grampos nas estacas. Você pega o grampo e o enrola ao redor da parte de trás da estaca, agarra a ponta com o alicate, enganchando-o sobre o arame e torcendo-o com firmeza de modo que ele não possa afrouxar. Enrolar, agarrar, enganchar, torcer. Enrolar, agarrar, enganchar, torcer.

Nada de pensar, só fazer.

O suor começa logo no Texas, e minhas luvas de couro ficam mais escuras quase assim que me ponho a trabalhar. Mas no fim a cerca está firme. Digo a mim mesmo que ela vai resistir — ou assim espero. O próximo passo é mover o feno, dar marcha a ré até o fardo redondo, deixando o braço cair sobre ele, e depois acelerar o motor do quadriciclo. Ele agarra, oscila, vira para cima e cai, novecentos quilos de comida deitados na carreta. Quando chego no local onde preciso deixá-lo, as vacas já se deram conta do som e vieram correndo investigar. Eu o posiciono ao lado do suporte redondo de feno, dou marcha a ré novamente, e vejo-o cair pela parte de trás. Com o canivete que tenho no bolso, corto a rede e então, com o trator, coloco o pesado suporte redondo de aço sobre o feno para evitar desperdício. As vacas começam a comer, mugindo de satisfação e empurrando umas às outras na disputa de seu lugar junto ao fardo.

Com elas devidamente distraídas, é hora de eu ir procurar o touro. Ouvi seus sons enquanto eu trabalhava e desconfio que está no canto de trás do pasto da frente. Encontro-o ali, quase uma tonelada de músculos e chifres. Estou um pouco frustrado. Não é um problema meu, embora meu vizinho pareça não se importar que isso continue acontecendo. Observo-o lá, como diz o poema, mas mantenho-me à distância. Não só porque não quero ser chifrado, mas porque mais cedo, ao tentar fazer isso com pressa e deixá-lo nervoso, fiz o touro passar direto por uma cerca de arame farpado — um custoso lembrete dos riscos da impaciência.

EPÍLOGO

O segredo é cutucá-lo na direção em que você quer ir, para eliminar as outras opções e em seguida colocá-lo em movimento. Tem de parecer que é ideia dele. Caso contrário, ele entrará em pânico e ficará irritado. E o problema passa de ruim a pior.

Por isso eu só fico ali parado, apoiado em algum cedro, olhando para as primeiras colheitas da Coroa Violeta — o pôr do sol do Texas que se instala sobre Austin — que se aproxima do horizonte. Neste momento, estou em paz. Não importa quão difíceis as coisas tenham estado ultimamente. Não importa o que está se passando no mundo. Minha respiração está desacelerando. Não há nenhuma rede social aqui. A fábrica de escândalos que a mídia se tornou não pode me alcançar. Tampouco podem me alcançar meus clientes ou parceiros de negócios — não há sinal nesta mata. Estou longe do manuscrito em que estive trabalhando. Longe da minha pesquisa e das minhas anotações, de meu escritório confortável e do ofício que amo. E aqui, longe de meu trabalho, a história de Shawn Green, que eu li meses atrás, e o que ele estava realmente nos ensinando, desliza de meu subconsciente e vem à tona com clareza. Compreendo-a agora. Compreendo o que ele buscava.

Corte lenha, carregue água. Conserte cercas, carregue feno, agarre o touro.

Minha mente está vazia. Meu coração está cheio. Meu corpo está ocupado.

Attamen tranquillus.

Ryan Holiday
Austin, Texas

O QUE VEM A SEGUIR?

Toda manhã escrevo uma meditação inspirada pelo estoicismo e outras filosofias antigas para DailyStoic.com. Você pode acompanhá-las junto a outras quase duzentas mil pessoas inscrevendo-se em:

DailyStoic.com/email

Ou se desejar algumas recomendações de leitura — livros que nutrem, inspiram, desafiam e geram sabedoria — você pode se inscrever numa lista mensal em:

RyanHoliday.net/reading-list

AGRADECIMENTOS

Um dos pontos de entrada mais simples e mais acessíveis para a quietude é gratidão. Gratidão por estar vivo, pelos golpes de sorte que você teve e por todas as pessoas em sua vida que o ajudaram. Toda manhã, procuro dedicar algum tempo a pensar exatamente sobre essas coisas, mas em geral esses agradecimentos permanecem comigo. Com este pequeno espaço que me foi concedido aqui, eu gostaria de agradecer a todos que ajudaram a tornar este livro possível — em primeiro lugar minha esposa, Samantha. Sou grato por sua orientação, apoio e quietude natural, com a qual aprendo constantemente. Meu filho, Clark, que fez muitas caminhadas longas comigo enquanto eu trabalhava nas palavras deste livro. Minha irmã, Amy, cujo equilíbrio e força enquanto ela lutava contra o câncer me comoveram e me ensinaram humildade. Sou grato a meu agente e colaborador, Steve Hanselman, que me ajudou não só com traduções, mas com o aprimoramento da ideia. Nils Parker, que tem sido um interlocutor para minhas ideias de escrita há mais de uma década, e Brent Underwood pela ajuda na divulgação e construção da minha plataforma. Agradeço a Hristo Vassilev por toda a sua importante pesquisa e ajuda na verificação dos fatos. Niki

Papadoulos, meu editor, e o restante da equipe Portfolio na Penguin Random House — obrigado por todo o trabalho em *todos* os meus livros. Ao *logos* que reuniu todas essas pessoas e fatores...

Eu deveria agradecer também a meus jumentos, vacas e cabras (por suas lições sobre *ser*, não fazer), mas eles são numerosos demais para serem nomeados. Sou grato também pela oportunidade de explorar muitas das ideias deste livro em plataformas como *Thought Catalog*, *Observer*, *Medium* e DailyStoic.com.

Meu último e mais sério agradecimento vai para os pensadores e filósofos cujas ideias compõem este livro. Este projeto não teria sido possível sem eles, mas, mais importante, seus insights e textos tornaram minha vida melhor. Sou grato também aos heróis (e vilões) das histórias contadas aqui, pois seus sucessos e fracassos excessivamente humanos tanto inspiram quanto repreendem qualquer pessoa em busca de felicidade, excelência e quietude. Minha própria busca está longe de acabar, mas o exemplo deles me ajudou a trilhar alguns centímetros numa jornada que — queira Deus (ou os deuses) — está apenas começando.

FONTES E BIBLIOGRAFIA

Meu objetivo para este livro foi torná-lo o mais enxuto e portátil possível. Como o espaço aqui é limitado e não desejo deixar nenhuma fonte valiosa de fora, quem quiser as referências bibliográficas deste livro pode mandar um e-mail para:

hello@stillnessisthekey.com

Para os que desejam fazer mais leituras sobre filosofia oriental ou ocidental, recomendo as obras que se seguem:

Meditações, de Marco Aurélio (Cultrix, 1964)
Readings in Classical Chinese Philosophy, de Philip J. Ivanhoe e Bryan W. Van Norden (Hackett, 2005)
Letters of a Stoic, de Sêneca (Penguin Classics, 2014)
Bhagavad Gita (Mantra, 2018)
The Art of Happiness, de Epicuro (Penguin Classics, 2012)
The New Testament: A Translation, de David Bentley Hart (Yale University Press, 2017)
Buda, de Karen Armstrong (Objetiva, 2001)

- intrinseca.com.br
- @intrinseca
- editoraintrinseca
- @intrinseca
- @editoraintrinseca
- intrinsecaeditora

1ª edição	NOVEMBRO DE 2019
reimpressão	FEVEREIRO DE 2025
impressão	BARTIRA
papel de miolo	IVORY BULK 65 G/M²
papel de capa	CARTÃO SUPREMO ALTA ALVURA 250 G/M²
tipografia	ELECTRA LH